# La bible des soupes

Du même auteur chez Modus Vivendi :

• *L'express végétarien*
• *Recettes pour bébés et enfants*
• *Boîte à lunch pour enfants*
• *Maman, j'ai faim !*

© Marie-Claude Morin et Les Publications Modus Vivendi inc., 2006, et 2012 pour la présente édition.

**LES PUBLICATIONS MODUS VIVENDI INC.**
55, rue Jean-Talon Ouest, 2ᵉ étage
Montréal (Québec) H2R 2W8
CANADA

**www.groupemodus.com**

Éditeur : Marc Alain
Éditrice déléguée : Isabelle Jodoin
Designer graphique : Catherine Houle
Photographe : André Noël pour les photos aux pages 6, 19, 21, 81, 83, 85, 147, 149, 151, 186, 211, 213
et Le Studio (photographe André Rozon) pour toutes les autres photos.
Styliste culinaire : Marie-Claude Morin et Simon Roberge
Réviseure : Flavie Léger-Roy
Le calcul des valeurs nutritives a été réalisé par la nutritionniste Marie Charron (Harmoniesante.com)

ISBN 978-2-89523-701-3

Dépôt légal – Bibliothèque et Archives nationales du Québec, 2012
Dépôt légal – Bibliothèque et Archives Canada, 2012

Nous reconnaissons l'aide financière du gouvernement du Canada par l'entremise du Fonds du livre du Canada pour nos activités d'édition.

Gouvernement du Québec – Programme de crédit d'impôt pour l'édition de livres – Gestion SODEC

**Imprimé au Canada**

# La bible des soupes

Marie-Claude Morin

MODUS VIVENDI

Pour l'inspiration et les trouvailles,
merci à Gaëtan Tessier, Jen, Huguette,
Josefina, Magdalena, David
et H que j'M.

# TABLE DES MATIÈRES

Le livre *La bible des soupes* a été publié pour la première fois en 2006.

Si on m'avait dit au moment du lancement que 40 000 personnes allaient s'en procurer un exemplaire, je n'y aurais probablement pas cru. Quel beau cadeau et quelle belle fierté ! Je ne vous savais pas aussi fanatiques de soupes.

Nous vous servons aujourd'hui une nouvelle version améliorée de *La bible des soupes*. Dans cette deuxième édition, vous trouverez dix nouvelles recettes et une invitante mise en page au goût du jour. Bienvenue dans le monde des soupes ! Prêts à découvrir de nouvelles recettes ?

Nous vous proposons d'abord de faire le tour du monde. Parce que chaque pays fait honneur à la soupe : pensons au minestrone en Italie, au gaspacho en Espagne, à la chaudrée de palourdes en Nouvelle-Angleterre et à la soupe miso au Japon. La soupe se décline en mille et une façons, au gré de vos humeurs et des aliments que vous avez sous la main. Au départ, elle consistait pourtant simplement à déposer du bouillon sur une tranche de pain. Elle est par la suite devenue un bouillon que l'on faisait épaissir avec du pain ou d'autres aliments. Elle a beaucoup changé depuis, non ?

Dans les soupes claires, il y a le bouillon et le consommé. À base de viande, de légumes ou de poisson, le bouillon sert de point de départ à la réalisation des soupes. La qualité du bouillon fait souvent la qualité de votre produit final. On vous propose d'ailleurs quelques recettes de bouillon qui vous donneront un coup de pouce pour réaliser les recettes du livre. Le consommé, lui, est un bouillon clarifié dont la clarté et la transparence font la fierté des chefs.

Dans les soupes qu'on dit « liées », on retrouve la crème et le velouté qui sont des potages auxquels on ajoute de la crème, un jaune d'œuf, du pain ou bien une pomme de terre pour les faire épaissir. Et il y a les soupes traditionnelles, tous ces potages concoctés à partir d'un bouillon auquel on ajoute des légumes, de la viande et une foule d'autres ingrédients au gré des saisons.

Nous vous proposons donc aussi de faire le tour des saisons. Les asperges seront en vedette au printemps. Elles laisseront toute la place aux belles tomates en été. Puis, vous retrouverez les légumes d'automne et plongerez dans les réconfortantes légumineuses de la saison hivernale. Comme on parle de plus en plus de l'achat local, voici une belle occasion de rendre hommage aux produits de saison.

Ce que nous aimons de la soupe ?

Nous aimons qu'elle soit facile à faire. Nous aimons qu'elle soit réconfortante. Nous aimons qu'elle soit économique. Nous aimons qu'elle soit remplie de légumes et de vitamines. Nous aimons aussi qu'elle soit faible en calories. Nous aimons la servir en entrée. Enfin, nous aimons aussi qu'elle devienne la vedette de nos repas.

Elle nous réchauffe, nous ravigote, nous réconforte… Nous ADORONS la soupe !

Bienvenue dans le monde de la simplicité, de la variété et de l'accessibilité.

À la soupe !!!

Marie-Claude Morin

# LES **BASES**

# LES BOUILLONS

Les bouillons sont la base des soupes. Ils sont le résultat d'une longue cuisson de viande, de poisson ou de légumes. Réalisés à la maison, ils donneront encore plus de goût et de vitamines aux recettes de ce livre. N'hésitez surtout pas à les cuisiner en grande quantité, à les congeler pour les utiliser ultérieurement.

Si vous manquez de temps, il est aussi possible de dénicher des bouillons de qualité au super-marché, sous forme de cubes ou de poudre à diluer avec de l'eau. Essayez d'opter pour des bouillons qui ne sont pas trop salés. D'ailleurs, les quantités de sel des recettes de ce livre sont toujours inscrites à titre de référence. Elles peuvent varier selon les bouil-lons utilisés et selon vos goûts. Il est donc préférable d'y aller modérément et d'ajuster l'assaisonnement au fil des recettes.

# BOUILLON
## de bœuf

Aussi appelé fond blanc de bœuf. Donne environ 7 tasses de bouillon.

| | | |
|---|---|---|
| 3 lb | os de bœuf | 1,5 kg |
| 1 | blanc de poireau | |
| 1 | gros oignon | |
| 2 | carottes | |
| 1 branche | céleri | |
| 2 | gousses d'ail | |
| 1 bouquet | persil, laurier et thym, ficelés ensemble | |
| 14 tasses | eau | 3,5 l |
| | Poivre en grains au goût | |

## Préparation

- Déposer les os dans une casserole. Couvrir d'eau, porter à ébullition et laisser mijoter quelques minutes. Égoutter.

- Remettre les os dans la casserole avec les légumes coupés en morceaux, les assaisonnements et couvrir de 14 tasses (3,5 l) d'eau. Porter à ébullition à nouveau et laisser mijoter à demi-couvert pendant 3 heures. Égoutter à la passoire fine. Laisser refroidir et dégraisser.

Pour faire un fond brun de bœuf, vous n'avez qu'à déposer les os de bœuf sur une plaque à biscuits et les faire cuire 45 minutes au four à 350 °F (175 °C). Déglacez la plaque à biscuits avec 1 tasse d'eau (250 ml). Remettre les os avec le déglaçage dans une grande casserole et poursuivre la recette selon les indications précédentes.

## Valeur nutritive par portion

| | | |
|---|---|---|
| Calories................25 | Glucides................5 g | Fibres alimentaires................1 g |
| Protéines................1 g | Gras saturés................0,1 g | Sodium................30 mg |

# CONSOMMÉ
## de bœuf

Le consommé de bœuf se cuisine à partir d'une recette de bouillon de bœuf comme celle de la page précédente. Pour 4 personnes.

| | | |
|---|---|---|
| ½ | oignon | |
| ½ | blanc de poireau | |
| ½ | carotte | |
| ½ branche | céleri | |
| 1 | tomate | |
| 1 | gousse d'ail, écrasée | |
| 2 | blancs d'œufs | |
| ½ lb | bœuf haché | 225 g |
| 1 bouquet | persil, laurier et thym, ficelés ensemble | |
| 1 | clou de girofle | |
| 7 tasses | bouillon de bœuf | 1,75 l |

## Préparation

- Dans un bol, déposer les légumes finement hachés. Ajouter les blancs d'œufs battus, la viande, le bouquet garni et le clou de girofle. Bien mélanger.

- Incorporer le bouillon de bœuf froid. Déposer dans une casserole.

- Porter à ébullition en grattant régulièrement le fond de la casserole. Arrêter de remuer au moment de l'ébullition pour laisser se former une croûte. Réduire le feu et laisser frémir à demi-couvert 1 heure.

- Soutirer délicatement le consommé sans briser la croûte. Filtrer à l'aide d'un linge fin. Assaisonner au goût. Servir.

## Valeur nutritive par portion

| | | |
|---|---|---|
| Calories................150 | Glucides...................13 g | Fibres alimentaires...............3 g |
| Protéines.................1 g | Gras saturés..................5 g | Sodium.....................125 mg |

# BOUILLON *de poulet* Donne environ 9 tasses de bouillon.

| | | | | | |
|---|---|---|---|---|---|
| 12 tasses | eau | 3 l | 1 branche | céleri | |
| La carcasse d'un poulet cuit de 3 lb (1,5 kg) | | | 1 | carotte | |
| 1 | oignon | | 1 bouquet persil, laurier et thym, ficelés ensemble | | |
| 2 | gousses d'ail | | Sel et poivre en grains au goût | | |

## Préparation

• Hacher les légumes et les déposer dans une casserole avec le reste des ingrédients. Amener à ébullition, réduire le feu et laisser mijoter à couvert deux heures. Passer le bouillon à la passoire fine pour n'en garder que le liquide. Laisser refroidir et enlever la couche de gras au besoin.

## Valeur nutritive par portion

| | | |
|---|---|---|
| Calories.........10 | Glucides.........2 g | Fibres alimentaires.........0 g |
| Protéines.........0,02 g | Gras saturés.........0,1 g | Sodium.........15 mg |

# FUMET *de poisson* Donne environ 9 tasses de bouillon.

| | | | | | |
|---|---|---|---|---|---|
| 10 tasses | eau | 2,5 l | ¼ de tasse | persil | 60 ml |
| 1 lb | arêtes et têtes de poissons | 450 g | 12 | grains de poivre | |
| 2 | carottes | | Sel au goût | | |
| 1 | oignon | | | | |

## Préparation

• Hacher les légumes et les déposer dans une casserole avec le reste des ingrédients. Amener à ébullition, réduire le feu et laisser mijoter à couvert deux heures. Passer le bouillon à la passoire fine pour n'en garder que le liquide. Laisser refroidir et enlever la couche de gras au besoin.

## Valeur nutritive par portion

| | | |
|---|---|---|
| Calories.........110 | Glucides.........2 g | Fibres alimentaires.........1 g |
| Protéines.........13 g | Gras saturés.........6 g | Sodium.........270 mg |

# BOUILLON
## de légumes

Donne environ 8 tasses de bouillon.

| | | |
|---|---|---|
| 10 tasses | eau | 2,5 l |
| 3 branches | céleri | |
| 4 | carottes | |
| ½ | navet | |
| 1 | oignon | |
| 1 bouquet | persil, laurier et thym, ficelés ensemble | |
| | Sel et poivre en grains au goût | |

## Préparation

• Hacher les légumes et les déposer dans une casserole avec le reste des ingrédients. Porter à ébullition, réduire le feu et laisser mijoter à couvert une bonne heure. Passer le bouillon à la passoire fine pour n'en garder que le liquide.

Pour remplacer le bouillon de légumes, il est aussi possible de garder l'eau de cuisson de vos légumes. Cette eau remplie de vitamines a beaucoup de goût et peut être utilisée pour la confection de vos soupes.

## Valeur nutritive par portion

| | | |
|---|---|---|
| Calories .....................................25 | Glucides ..............................5 g | Fibres alimentaires .....................1 g |
| Protéines ..................................1 g | Gras saturés ........................0,1 g | Sodium ................................45 mg |

# HYMNE AU **PRINTEMPS**

# SOUPES DE PRINTEMPS

# SOUPE
## aux petites pâtes

Pour 4 personnes. Il est possible d'acheter des paquets de nouilles aux œufs concassées en petits morceaux en épicerie. Sinon, concassez les nouilles au moment de les ajouter à la soupe.

| | | |
|---|---|---|
| 1 c. à soupe | huile d'olive | 15 ml |
| 1 | petit oignon, haché | |
| 1 | gousse d'ail, émincée | |
| ½ tasse | céleri, coupé en dés | 60 g |
| ½ tasse | carotte, coupée en dés | 64 g |
| ½ tasse | poivron vert, coupé en dés | 78 g |
| 6 tasses | bouillon de poulet | 1,5 l |
| ½ tasse | sauce tomate | 125 ml |
| 1 tasse | nouilles aux œufs fines | 250 ml |
| | Sel et poivre au goût | |

## Préparation

• Dans un chaudron, à feu moyen, faire revenir l'oignon et l'ail dans l'huile d'olive 1 à 2 minutes.

• Ajouter le céleri, la carotte et le poivron vert. Poursuivre la cuisson 2 minutes.

• Incorporer le bouillon et la sauce tomate. Couvrir et laisser mijoter une vingtaine de minutes.

• Ajouter les pâtes quelques minutes avant de servir. Assaisonner au goût.

## Valeur nutritive par portion

| | | |
|---|---|---|
| Calories ............................110 | Glucides ..............................14 g | Fibres alimentaires .....................2 g |
| Protéines ...............................3 g | Gras saturés ...............................5 g | Sodium ...............................770 mg |

# SOUPE
## à la lotte

Pour 4 personnes. La lotte est un poisson maigre méconnu dont la texture est savoureuse. C'est un poisson qui n'est pas très beau à voir, mais qui saura charmer tous les amateurs de poisson.

| | | | | | | |
|---|---|---|---|---|---|---|
| 2 c. à soupe | huile d'olive | 30 ml | 1 | branche de céleri, coupée en dés | |
| ½ | oignon espagnol, haché | | 1 | carotte, coupée en dés | |
| 1 | gousse d'ail, émincée | | 1 | pomme de terre, coupée en dés | |
| 1 lb | lotte, coupée en morceaux | 454 g | 4 tasses | fumet de poisson | 1 l |
| ½ tasse | vin blanc | 125 ml | 1 pincée | safran | |
| 1 | tomate, coupée en dés | | | Sel et poivre au goût | |

## Préparation

• Dans un chaudron, à feu moyen, faire revenir l'oignon et l'ail dans l'huile d'olive.

• Ajouter la lotte et poursuivre la cuisson jusqu'à ce que la lotte commence à se colorer. Déglacer avec le vin blanc avant d'ajouter la tomate. Poursuivre la cuisson 1 à 2 minutes.

• Incorporer le reste des légumes et le fumet de poisson. Assaisonner avec le safran. Laisser mijoter 20 à 30 minutes.

• Saler et poivrer au goût.

## Valeur nutritive par portion

| | | | | | |
|---|---|---|---|---|---|
| Calories | 210 | Glucides | 13 g | Fibres alimentaires | 2 g |
| Protéines | 22 g | Gras saturés | 8 g | Sodium | 105 mg |

# SOUPE
## au poisson

Pour 4 à 6 personnes.

| | | |
|---|---|---|
| 6 tasses | eau | 1,5 l |
| 1 | poireau, haché | |
| 1 | carotte, coupée en dés | |
| ½ | poivron vert, coupé en dés | |
| ½ | poivron rouge, coupé en dés | |
| ¼ | oignon, haché | |
| ¼ de tasse | pâte de tomate | 60 ml |

| | | |
|---|---|---|
| 2 | tranches de pain | |
| 2 c. à soupe | huile d'olive | 30 ml |
| ½ lb | poisson blanc | 225 g |
| | (merlu, flétan ou bar des neiges) | |
| 8 | palourdes dans leur coquillage | |
| 10 grosses | crevettes décortiquées | |

## Préparation

- Dans une casserole, faire cuire le poireau, la carotte et les poivrons quelques minutes dans les 6 tasses d'eau bouillante. Égoutter et essorer, en prenant soin de garder le bouillon de cuisson.

- Dans une poêle, faire sauter l'oignon dans un peu d'huile, jusqu'à ce qu'il devienne transparent. Ajouter la pâte de tomate et les légumes cuits. Remuer deux minutes et éteindre le feu.

- Dans une autre poêle, faire frire les tranches de pain dans l'huile puis verser ½ tasse de l'eau de cuisson et triturer le pain jusqu'à l'obtention d'une consistance de purée.

- Dans la casserole du départ, porter le bouillon réservé à ébullition. Incorporer les palourdes, les crevettes et le poisson coupé en morceaux. Laisser bouillir 3 à 4 minutes.

- Ajouter le pain et le mélange de légumes. Laisser mijoter 5 minutes. Saler et poivrer.

## Valeur nutritive par portion

| | | |
|---|---|---|
| Calories ...................................60 | Glucides ...................................12 g | Fibres alimentaires .......................2 g |
| Protéines ..................................15 g | Gras saturés ...............................1 g | Sodium ...................................125 mg |

# SOUPE
## aux œufs et au miso

Pour 4 à 6 personnes. Cette soupe express ne nécessite que quelques ingrédients. L'ail lui donne du goût et les œufs de la texture.

| | | |
|---|---|---|
| 1 c. à soupe | huile d'olive | 15 ml |
| ½ | oignon espagnol, haché | |
| 6 | gousses d'ail, hachées | |
| 6 tasses | eau | 1,5 l |
| ¼ de tasse | miso | 60 ml |
| 2 c. à thé | sauce soya | 10 ml |
| 1 c. à thé | coriandre moulue | 3 g |
| 4 | œufs | |

## Préparation

• Dans une casserole, faire dorer l'oignon et l'ail dans l'huile d'olive.

• Ajouter l'eau chaude, le miso, la sauce soya et la coriandre. Poursuivre la cuisson à feu moyen jusqu'à la dissolution complète du miso.

• Dans un bol, battre les œufs et les incorporer graduellement à la soupe. Fouetter délicatement. Servir la soupe une fois que les œufs sont cuits.

• Saler et poivrer au goût.

## Valeur nutritive par portion

| | | |
|---|---|---|
| Calories ..........60 | Glucides ..........5 g | Fibres alimentaires ..........1 g |
| Protéines ..........6 g | Gras saturés ..........1,5 g | Sodium ..........570 mg |

# SOUPE
## au poulet à l'orientale

Pour 4 personnes. Voici une recette originale pour renouveler la célèbre soupe poulet et nouilles. Vous trouverez des chataîgnes d'eau en conserve au supermarché.

| | | |
|---|---|---|
| 1 ½ tasse | nouilles de riz, cuites | 250 g |
| 1 c. à soupe | huile d'olive | 15 ml |
| 1 | oignon, haché | |
| 1 | gousse d'ail, hachée | |
| ½ c. à soupe | gingembre frais, haché finement | 3 g |
| | Le zeste d'un demi citron | |
| ½ boîte | chataîgnes d'eau, en tranches | 100 ml |

| | | |
|---|---|---|
| 1 | carotte, coupée en dés | |
| 4 tasses | bouillon de poulet | 1 l |
| ¼ de tasse | lait de coco | 60 ml |
| 1 tasse | poulet cuit, coupé en dés | 150 g |
| ½ c. à thé | curcuma | 1,5 g |
| ½ c. à thé | coriandre moulue | 1,5 g |
| | Sel et poivre au goût | |

## Préparation

• Dans une casserole remplie d'eau bouillante, faire cuire les nouilles de riz selon les indications sur l'emballage. Égoutter et réserver.

• Dans une autre casserole, faire revenir l'oignon, l'ail et le gingembre dans l'huile. Ajouter le zeste de citron, les chataîgnes d'eau, la carotte, puis le reste des ingrédients. Porter à ébullition, réduire le feu et laisser mijoter à couvert une vingtaine de minutes.

• Incorporer les nouilles de riz cuites. Réchauffer. Saler et poivrer au goût.

## Valeur nutritive par portion

| | | |
|---|---|---|
| Calories.............70 | Glucides.............25 g | Fibres alimentaires.............2 g |
| Protéines.............17 g | Gras saturés.............1,5 g | Sodium.............450 mg |

# SOUPE
## d'agneau au riz et aux pruneaux

Pour 4 personnes. Les pruneaux apportent une touche sucrée et originale à cette soupe d'agneau. Surveillez la cuisson du riz si vous l'aimez un peu croquant sous la dent.

| | | | | | | |
|---|---|---|---|---|---|---|
| 2 c. à soupe | huile d'olive | 30 ml | 10 | pruneaux, coupés en deux | |
| 1 | oignon, haché | | 2 tasses | courge au choix, coupée en dés | 430 g |
| 2 | gousses d'ail, hachées | | ½ tasse | riz | 95 g |
| 1 | poivron rouge, coupé en dés | | 1 | courgette, coupée en dés | |
| 1 lb | agneau, coupé en dés | 450 g | 1 c. à thé | paprika | 3 g |
| 8 tasses | eau | 2 l | | Sel et poivre au goût | |

## Préparation

• Dans une casserole, chauffer l'huile à feu élevé pour faire dorer l'oignon, l'ail, le poivron rouge, puis l'agneau.

• Une fois la viande saisie, ajouter l'eau, les pruneaux et la courge. Laisser mijoter à couvert 30 minutes.

• Incorporer le reste des ingrédients. Poursuivre la cuisson une vingtaine de minutes, jusqu'à ce que le riz soit cuit. Saler et poivrer au goût.

## Valeur nutritive par portion

| | | | | | |
|---|---|---|---|---|---|
| Calories | 120 | Glucides | 49 g | Fibres alimentaires | 4 g |
| Protéines | 27 g | Gras saturés | 3 g | Sodium | 80 mg |

# VELOUTÉ
## d'épinards

Pour 4 à 6 personnes. Une recette parfaite pour célébrer l'arrivée des premières pousses d'épinards au printemps.

| | | |
|---|---|---|
| 2 c. à soupe | beurre | 30 g |
| 1 | échalote française, hachée | |
| 2 | gousses d'ail, hachées | |
| 1 | courgette, coupée en dés | |
| 1 | pomme de terre, coupée en dés | |
| 6 tasses | bouillon de poulet | 1,5 l |
| 1 paquet | épinards | 227 g |
| | Sel et poivre au goût | |
| | Crème champêtre (15 %) au goût | |

## Préparation

• Dans une casserole, faire revenir l'échalote française et l'ail dans le beurre.

• Ajouter la courgette et la pomme de terre. Poursuivre la cuisson 1 à 2 minutes à feu moyen.

• Incorporer le bouillon chaud et les épinards. Laisser mijoter à couvert une vingtaine de minutes.

• Passer au robot culinaire. Saler et poivrer au goût. Garnir de crème champêtre au goût. Servir.

## Valeur nutritive par portion

| | | |
|---|---|---|
| Calories............40 | Glucides............9 g | Fibres alimentaires............2 g |
| Protéines............3 g | Gras saturés............2,5 g | Sodium............440 mg |

# SOUPE
## aux moules

Pour 4 personnes. Les moules nous offrent un délice de la mer à bon marché. Pourquoi ne pas en profiter ?

| | | | | | |
|---|---|---|---|---|---|
| 2 lb | moules, lavées et brossées | 900 g | 2 c. à soupe | pâte de tomate | 30 ml |
| 2 c. à soupe | huile d'olive | 30 ml | 1 tasse | vin blanc | 250 ml |
| 1 | poireau, haché | | 5 tasses | eau de cuisson des moules | 1,25 l |
| 2 | oignons verts, hachés | | 1 noix | beurre | |
| 2 | gousses d'ail, hachées | | 2 c. à soupe | persil frais, haché | 7 g |
| 1 | piment fort séché, haché | | 1 c. à thé | aneth frais | 1 g |

## Préparation

• Dans une casserole, faire cuire les moules à couvert dans une grande quantité d'eau bouillante, jusqu'à ce qu'elles soient ouvertes. Jeter celles qui sont fermées. Sortir la moitié des moules de leur coquille. Mettre de côté et réserver l'eau de cuisson.

• Dans une casserole, faire sauter le poireau, les oignons verts, l'ail et le piment fort dans l'huile. Ajouter la pâte de tomate et remuer.

• Incorporer le vin et laisser frémir 2 minutes.

• Ajouter le bouillon, le beurre, le persil et l'aneth. Poursuivre la cuisson 5 minutes puis remettre les moules dans le bouillon. Réchauffer. Saler et poivrer au goût.

## Valeur nutritive par portion

| | | |
|---|---|---|
| Calories ..................................80 | Glucides ......................................9 g | Fibres alimentaires ......................1 g |
| Protéines ..................................9 g | Gras saturés ..............................1,5 g | Sodium ................................220 mg |

# SOUPE
## au saumon et aux spaghettinis

Pour 4 personnes. Le citron et le saumon vont si bien ensemble. Osez ajouter un trait de citron dans chaque bol au moment de servir.

| | | |
|---|---|---|
| 1 lb | saumon frais | 450 g |
| 2 c. à soupe | huile d'olive | 30 ml |
| 6 | oignons verts, coupés en rondelles | |
| 2 | gousses d'ail, hachées | |
| 2 | carottes, coupées en dés | |
| ⅓ de tasse | jus de citron frais | 80 ml |

| | | |
|---|---|---|
| 4 tasses | eau | 1 l |
| 2 tasses | persil frais, haché | 127 g |
| 2 tasses | spaghettinis de blé entier, cuits | 320 g |
| 1 tasse | crème champêtre (15 %) | 250 ml |
| | Sel et poivre au goût | |

## Préparation

- Déposer le saumon dans un plat allant au four. Faire cuire 15 minutes à 400 °F (200 °C). Défaire le saumon en morceaux et réserver.

- Dans une casserole, faire revenir les oignons verts et l'ail dans l'huile. Ajouter les carottes, le saumon cuit et le jus de citron. Brasser avec délicatesse, en prenant soin de ne pas émietter le saumon.

- Incorporer l'eau, le persil et les spaghettinis cuits. Laisser mijoter 10 minutes.

- Ajouter la crème champêtre et réchauffer. Saler et poivrer au goût.

## Valeur nutritive par portion

| | | |
|---|---|---|
| Calories.................260 | Glucides.................20 g | Fibres alimentaires.................3 g |
| Protéines.................28 g | Gras saturés.................9 g | Sodium.................120 mg |

# POTAGE
## aux courgettes

Pour 4 personnes. Quelle bonne idée que d'ajouter des pignons grillés à ce potage. Ils lui procurent beaucoup de finesse et vous apporteront de bonnes protéines.

| | | | | | | |
|---|---|---|---|---|---|---|
| 1 c. à soupe | huile d'olive | 15 ml | 4 tasses | bouillon de légumes | 1 l |
| 1 | oignon, haché | | 1 | tomate, coupée en dés | |
| 1 | gousse d'ail, hachée | | ½ c. à thé | origan séché | 1 g |
| 1 | pomme de terre, coupée en dés | | ⅛ de tasse | pignons, grillés | 20 g |
| 3 tasses | courgettes, tranchées | 393 g | | Sel et poivre au goût | |

## Préparation

• Dans une casserole, faire dorer l'oignon et l'ail dans l'huile d'olive. Ajouter la pomme de terre et les courgettes. Poursuivre la cuisson 2 à 3 minutes à feu moyen.

• Incorporer le bouillon chaud, la tomate et l'origan. Laisser mijoter à couvert 25 à 30 minutes.

• Pendant ce temps, faire griller les pignons (noix de pin) quelques minutes dans une poêle à feu moyen.

• Passer le mélange, incluant les pignons, au robot culinaire jusqu'à l'obtention d'une texture très lisse. Saler et poivrer au goût.

## Valeur nutritive par portion

| | | |
|---|---|---|
| Calories.................................60 | Glucides ...............................12 g | Fibres alimentaires ......................2 g |
| Protéines .................................3 g | Gras saturés .............................1 g | Sodium ..................................380 mg |

# POTAGE
## de pois chiches

Pour 4 personnes. Si vous aimez les potages relevés, vous pouvez ajouter du harissa. Cette pâte de piment rouge donnera du piquant à ce potage de pois chiches.

| | | |
|---|---|---|
| 1 c. à soupe | huile d'olive | 15 ml |
| 1 | oignon, haché | |
| 1 | gousse d'ail, hachée | |
| 1 tasse | poireau, haché | 94 g |
| ¼ de tasse | pâte de tomate | 60 ml |
| 1 boîte | pois chiches en boîte | 450 g |
| 4 tasses | eau | 1 l |
| 1 c. à thé | paprika | 3 g |
| | Sel et poivre au goût | |

### Préparation

- Dans une casserole, faire dorer l'oignon, l'ail et le poireau dans l'huile d'olive.

- Ajouter la pâte de tomate. Remuer constamment. Poursuivre la cuisson 2 à 3 minutes.

- Incorporer les pois chiches, l'eau et le paprika. Laisser mijoter à couvert 15 minutes.

- Passer le mélange au robot culinaire. Saler et poivrer au goût.

### Valeur nutritive par portion

| | | |
|---|---|---|
| Calories....................45 | Glucides....................38 g | Fibres alimentaires....................7 g |
| Protéines....................8 g | Gras saturés....................0,5 g | Sodium....................420 mg |

# SOUPE
## de tomates et de celeri

Le cerfeuil est une plante annuelle qu'on retrouve beaucoup à l'état sauvage en Europe. On la cultive plus rarement chez nous, mais on la retrouve facilement séchée au supermarché.

| | | | | | | |
|---|---|---|---|---|---|---|
| 2 c. à soupe | huile d'olive | 30 ml | | 1 boîte | tomates italiennes en boîte | 798 ml |
| 1 | oignon, haché | | | 2 tasses | bouillon de légumes | 500 ml |
| 2 | gousses d'ail, hachées | | | 1 c. à thé | cerfeuil séché | 1 g |
| 4 branches | céleri, coupé en dés | | | ½ tasse | crème champêtre (15 %) | 125 ml |
| 2 | pommes de terre, coupées en dés | | | | Sel et poivre au goût | |

### Préparation

• Dans une casserole, faire dorer l'oignon et l'ail dans l'huile.

• Ajouter le céleri et les pommes de terre. Poursuivre la cuisson quelques minutes à feu moyen.

• Incorporer les tomates, le bouillon chaud et le cerfeuil. Laisser mijoter à couvert 30 minutes, ou jusqu'à ce que le céleri soit bien tendre.

• Passer au robot culinaire. Remettre dans la casserole pour ajouter la crème champêtre et réchauffer.

• Saler et poivrer au goût. Garnir de cerfeuil séché et servir.

### Valeur nutritive par portion

| | | |
|---|---|---|
| Calories....................110 | Glucides ........................23 g | Fibres alimentaires ......................4 g |
| Protéines .........................5 g | Gras saturés ........................4 g | Sodium ..........................510 mg |

# VELOUTÉ
## aux pois et au fromage de chèvre

Pour 4 personnes. Voici une improvisation libre ayant pour thème le célèbre potage St-Germain, originellement constitué de pois cassés et de pois frais.

| | | | | | |
|---|---|---|---|---|---|
| 1 c. à soupe | huile d'olive | 15 ml | 3 tasses | pois frais ou surgelés | 460 g |
| 1 | oignon, haché | | 4 tasses | bouillon de poulet | 1 l |
| 2 | gousses d'ail, hachées | | ¼ de tasse | fromage de chèvre crémeux | 40 g |
| 1 | pomme de terre coupée en dés | | | Sel et poivre au goût | |

## Préparation

• Dans une casserole, faire revenir l'oignon et l'ail dans l'huile d'olive.

• Ajouter la pomme de terre et les pois. Bien remuer.

• Incorporer le bouillon chaud. Laisser mijoter à couvert une vingtaine de minutes.

• Passer au robot culinaire. Remettre le mélange dans la casserole. Ajouter le fromage de chèvre. Laisser fondre le fromage et bien remuer. Saler et poivrer au goût.

• Garnir de feuilles de menthe. Servir.

## Valeur nutritive par portion

| | | |
|---|---|---|
| Calories ............................50 | Glucides ...........................9 g | Fibres alimentaires ....................1 g |
| Protéines ...........................5 g | Gras saturés .......................2 g | Sodium ...............................410 mg |

# SOUPE
## thaï aux légumes

Pour 4 à 6 personnes. Cette recette d'inspiration thaïlandaise est beaucoup plus simple qu'en apparence. Le lait de coco vient adoucir le goût de la pâte de cari rouge. Un délice !

| | | | | | | |
|---|---|---|---|---|---|---|
| 1 c. à soupe | huile d'olive | 15 ml | ½ bloc | tofu, coupé en cubes | 225 g |
| 1 | gousse d'ail, hachée finement | | 1 boîte | maïs en grains en boîte | 350 g |
| 1 c. à thé | pâte de cari rouge | 5 ml | 2 tasses | brocoli | 186 g |
| 1 boîte | lait de coco en boîte | 398 ml | 8 | champignons blancs, tranchés | |
| 4 tasses | eau | 1 l | 1 poignée | coriandre fraîche | |
| 2 | oignons verts, hachés | | | Sel et poivre au goût | |
| 1 c. à thé | sucre | 4 g | | | |

## Préparation

• Dans une casserole, faire sauter l'ail dans l'huile d'olive. Lorsque l'ail a bruni, ajouter la pâte de cari et mélanger pendant 1 minute.

• Incorporer le lait de coco, l'eau, les oignons verts, le sucre et le sel. Amener à ébullition, réduire le feu et laisser mijoter 5 minutes.

• Ajouter le tofu. Laisser mijoter quelques minutes, puis rajouter le maïs égoutté, le brocoli, les champignons et la coriandre.

• Servir lorsque le brocoli commence à ramollir. Saler et poivrer au goût.

## Valeur nutritive par portion

| | | | | | |
|---|---|---|---|---|---|
| Calories | 40 | Glucides | 23 g | Fibres alimentaires | 4 g |
| Protéines | 7 g | Gras saturés | 1 g | Sodium | 100 mg |

# CRÈME
## d'asperges

Pour 4 personnes. Les asperges arrivent avec les premières journées confortables du printemps. Profitez-en pour les cuisiner.

| | | | | | | |
|---|---|---|---|---|---|---|
| 1 c. à soupe | beurre | 15 g | 1 | jaune d'œuf | | |
| ½ tasse | poireau, haché | 47 g | ½ tasse | crème champêtre (15 %) | 125 ml | |
| 1 | gousse d'ail, hachée | | 1 pincée | muscade | | |
| 20 | asperges | | | Sel et poivre au goût | | |
| 4 ½ tasses | bouillon de légumes | 1,125 l | | | | |

## Préparation

- Couper le bout dur des asperges. Gratter les tiges avec un éplucheur. Couper en petits morceaux.

- Dans une casserole, faire ramollir le poireau et l'ail dans le beurre.

- Ajouter les asperges et cuire 1 à 2 minutes à feu moyen.

- Incorporer le bouillon chaud, la muscade et le sel. Laisser mijoter à couvert une vingtaine de minutes.

- Passer au robot culinaire. Remettre dans la casserole, ajouter le jaune d'œuf et la crème champêtre. Réchauffer, saler et poivrer au goût.

- Garnir d'asperges fraîches et servir.

## Valeur nutritive par portion

| | | | | | |
|---|---|---|---|---|---|
| Calories | 90 | Glucides | 8 g | Fibres alimentaires | 3 g |
| Protéines | 5 g | Gras saturés | 5 g | Sodium | 460 mg |

# SOUPE
## aux trois champignons

Pour 2 à 4 personnes. Voici une recette qui vous permettra de vous familiariser avec le goût de différents champignons. Osez varier d'une fois à l'autre. C'est un mélange exotique réussi!

| | | | | | | |
|---|---|---|---|---|---|---|
| 1 c. à soupe | beurre | 15 g | | 2 tasses | champignons portobello | 148 g |
| 1 | oignon, haché | | | 2 tasses | champignons pleurote | 148 g |
| 1 | gousse d'ail, hachée | | | 1 ½ tasse | bouillon de légumes | 375 ml |
| 1 c. à soupe | farine | 15 g | | ¼ c. à thé | sarriette séchée | 1 ml |
| 1 ½ tasse | lait | 375 ml | | | Sel et poivre au goût | |
| 2 tasses | champignons de Paris | 148 g | | | | |

## Préparation

- Dans une casserole, faire suer l'oignon et l'ail dans le beurre.

- Ajouter la farine et bien remuer. Verser le lait. Laisser frémir quelques minutes jusqu'à ce que le liquide épaississe un peu.

- Ajouter les champignons tranchés, le bouillon de légumes et la sarriette. Couvrir et laisser frémir 15 minutes.

- Saler et poivrer au goût et servir.

## Valeur nutritive par portion

| | | |
|---|---|---|
| Calories.............................50 | Glucides .................................15 g | Fibres alimentaires .......................3 g |
| Protéines ..........................8 g | Gras saturés .............................3 g | Sodium .................................210 mg |

# SOUPE
## au poulet et aux tomates

Pour 4 personnes. On cherche de nouvelles idées, mais on revient toujours à celles qui sont les plus simples. Poulet et tomates ? Une combinaison gagnante.

| | | | | | | |
|---|---|---|---|---|---|---|
| 2 c. à soupe | huile d'olive | 30 ml | | 1 pincée | cannelle | |
| 2 | oignons, hachés finement | | | 2 pincées | sucre | |
| 2 | gousses d'ail, hachées finement | | | 4 tasses | eau | 1 l |
| 1 lb | poulet désossé et sans peau, coupé en cubes | 450 g | | | Sel et poivre au goût | |
| 1 boîte | pâte de tomate | 156 ml | | | | |

## Préparation

• Dans une casserole, faire sauter l'oignon à feu moyen dans 1 c. à soupe (15 ml) d'huile d'olive, jusqu'à ce qu'il commence à dorer. Ajouter l'ail et poursuivre la cuisson jusqu'à ce que le mélange commence à brunir.

• Réduire le feu, ajouter les morceaux de poulet et 1 c. à soupe (15 ml) d'huile d'olive. Remuer le mélange 1 minute.

• Incorporer la pâte de tomate. Remuer 2 autres minutes.

• Ajouter l'eau, la pincée de cannelle et le sucre. Couvrir et laisser mijoter 15 minutes. Saler et poivrer au goût.

## Valeur nutritive par portion

| | | | | | |
|---|---|---|---|---|---|
| Calories | 90 | Glucides | 12 g | Fibres alimentaires | 2 g |
| Protéines | 25 g | Gras saturés | 1,5 g | Sodium | 120 mg |

# SOUPE
## au crabe

Pour 4 à 6 personnes. En utilisant du crabe en boîte, c'est une soupe de tous les jours. Mais avec de la chair de crabe fraîche… c'est un festin!

| | | | | | | |
|---|---|---|---|---|---|---|
| 2 c. à soupe | huile d'olive | 30 ml | | 1 boîte | lait de coco en boîte | 398 ml |
| 1 | oignon, haché | | | 4 tasses | bouillon de poulet | 1 l |
| 2 | gousses d'ail, hachées | | | 2 boîtes | chair de crabe en boîte | 240 g |
| 1 | poivron rouge, coupé en lanières | | | 1 c. à thé | curcuma | 3 g |
| 1 | courgette, coupée en dés | | | | Sel et poivre de Cayenne au goût | |
| 1 tasse | champignons séchés | 50 g | | | | |

## Préparation

- Faire tremper les champignons une quinzaine de minutes dans un bol d'eau. Égoutter et équeuter les champignons.

- Dans une casserole, faire dorer l'oignon et l'ail dans l'huile. Ajouter le poivron rouge, la courgette et remuer 2 minutes à feu moyen.

- Incorporer les champignons, le lait de coco et le bouillon chaud. Porter à ébullition.

- Ajouter la chair de crabe et le curcuma. Couvrir et laisser mijoter 15 minutes. Saler et poivrer au goût Servir.

## Valeur nutritive par portion

| | | |
|---|---|---|
| Calories.....................45 | Glucides...........................9 g | Fibres alimentaires.......................2 g |
| Protéines........................9 g | Gras saturés.............................1 g | Sodium.............................410 mg |

# POTAGE
## mesclun

Pour 4 personnes. Voici une version personnelle du célèbre potage Choisy. Imaginez un peu le rituel d'aller cueillir des jeunes pousses de laitue au potager pour les cuisiner.

| | | | | | | |
|---|---|---|---|---|---|---|
| 1 c. à soupe | huile d'olive | 15 ml | 4 tasses | bouillon de légumes | 1 l |
| 1 | oignon, haché | | 9 tasses | laitue mesclun | 150 g |
| 1 | gousse d'ail, hachée | | | Sel et poivre au goût | |
| 2 | pommes de terre, coupées en dés | | | | |

## Préparation

- Dans une casserole, faire dorer quelques minutes l'oignon et l'ail dans l'huile, avant d'ajouter la pomme de terre.

- Incorporer le bouillon chaud et la laitue. Couvrir et laisser mijoter 20 à 25 minutes.

- Passer au robot culinaire. Saler et poivrer. Ajouter de la crème champêtre si le cœur vous en dit. Servir.

## Valeur nutritive par portion

| | | |
|---|---|---|
| Calories .................................35 | Glucides ...................................13 g | Fibres alimentaires ......................2 g |
| Protéines ...............................2 g | Gras saturés ...........................0,5 g | Sodium ................................390 mg |

# SOUPE
## aigre piquante

Pour 4 personnes.

| | | | | | | |
|---|---|---|---|---|---|---|
| 1 c. à soupe | huile d'olive | 15 ml | | 1 | piment fort séché, haché | |
| 1 | gousse d'ail, hachée | | | 1 c. à soupe | vinaigre de riz | 15 ml |
| 1 c. à soupe | gingembre frais, haché finement | 6 g | | 3 c. à soupe | sauce soya | 45 ml |
| | | | | 1 c. à thé | sucre | 4 g |
| ½ | poivron rouge, coupé en lanières | | | 1 c. à thé | huile de sésame | 5 ml |
| 1 boîte | chataîgnes d'eau en boîte | 199 ml | | 2 | oignons verts, hachés | |
| 1 tasse | champignons séchés | 50 g | | ½ paquet | vermicelles de riz | 110 g |
| 5 tasses | eau | 1,25 l | | | | |

## Préparation

• Faire tremper les champignons dans 2 tasses (500 ml) d'eau et les vermicelles de riz quelques minutes dans un bol d'eau chaude. Égoutter les vermicelles.

• Dans une casserole, faire revenir l'ail et le gingembre dans l'huile. Ajouter le poivron rouge et remuer 1 à 2 minutes.

• Incorporer les chataîgnes d'eau, les champignons avec leur eau de trempage et 3 tasses (750 ml) d'eau. Assaisonner avec le piment fort, le vinaigre de riz, la sauce soya, le sucre et l'huile de sésame. Laisser mijoter 5 minutes.

• Ajouter les oignons verts et les vermicelles de riz. Réchauffer.

## Valeur nutritive par portion

| | | |
|---|---|---|
| Calories....................................40 | Glucides ...............................32 g | Fibres alimentaires ......................2 g |
| Protéines ..................................5 g | Gras saturés ...........................0,5 g | Sodium ................................650 mg |

# POTAGE
## aux lentilles rouges

Pour 4 personnes. Le cumin, dont le goût est assez prononcé, se marie à merveille aux carottes. Les lentilles rouges se transforment en purée au cours de la cuisson et donnent une texture très agréable à ce potage.

| | | |
|---|---|---|
| 1 c. à soupe | huile d'olive | 15 ml |
| 1 | oignon, haché | |
| 1 branche | céleri, coupé en dés | |
| 2 | carottes, coupées en dés | |
| 1 c. à thé | cumin moulu | 3 g |
| 1 c. à thé | curcuma | 3 g |
| 4 tasses | eau | 1 l |
| 1 tasse | lentilles rouges, sèches | 200 g |
| | Sel et poivre au goût | |

## Préparation

• Dans une casserole, faire dorer l'oignon dans l'huile d'olive.

• Ajouter le céleri, les carottes, le cumin et le curcuma. Remuer 1 à 2 minutes à feu moyen.

• Incorporer l'eau et les lentilles rouges. Couvrir et laisser mijoter une vingtaine de minutes. Le temps de cuisson des lentilles rouges est très court.

• Saler et poivrer au goût.

## Valeur nutritive par portion

| | | |
|---|---|---|
| Calories .....................35 | Glucides ........................34 g | Fibres alimentaires .....................7 g |
| Protéines .....................15 g | Gras saturés ...........................0,5 g | Sodium .....................30 mg |

# POTAGE
## au cresson

Pour 4 personnes. Le cresson se mange tout aussi bien cru en salade que cuit en potage. Il a un goût de moutarde et pousse dans l'eau. On le retrouve souvent en botte avec les fines herbes du supermarché.

| | | |
|---|---|---|
| 1 c. à soupe | beurre | 15 g |
| 1 | oignon, haché | |
| 3 | pommes de terre, coupées en dés | |
| 4 tasses | bouillon de légumes | 1 l |
| 1 botte | cresson | |
| ½ | pomme, coupée en dés | |
| 1 pincée | muscade | |
| | Sel et poivre au goût | |

### Préparation

• Débarrasser le cresson de ses tiges.

• Dans une casserole, faire dorer l'oignon dans le beurre.

• Ajouter les pommes de terre, le bouillon de légumes chaud, le cresson, la pomme et la muscade. Couvrir et laisser mijoter 30 minutes.

• Passer au robot culinaire. Saler et poivrer au goût.

• On peut garnir de quelques tiges de cresson pour le service.

### Valeur nutritive par portion

| | | |
|---|---|---|
| Calories ....................30 | Glucides .........................20 g | Fibres alimentaires .....................2 g |
| Protéines ....................3 g | Gras saturés .........................2 g | Sodium .........................20 mg |

# POTAGE
## aux endives

Pour 4 personnes. Le goût de l'endive est très subtil dans ce potage. Son amertume nous arrive en bouche en fin de dégustation. C'est plein de finesse !

| | | |
|---|---|---|
| 1 c. à soupe | beurre | 15 g |
| 1 | oignon, haché | |
| 1 tasse | poireau, haché | 94 g |
| 2 | pommes de terre, coupées en dés | |
| 6 | endives, coupées en morceaux | |

| | | |
|---|---|---|
| 6 tasses | bouillon de légumes | 1,5 l |
| 1 | feuille de laurier | |
| 1 pincée | thym | |
| | Sel et poivre au goût | |

## Préparation

• Dans une casserole, faire dorer l'oignon et le poireau dans le beurre.

• Ajouter les pommes de terre et les endives. Continuer la cuisson 1 à 2 minutes.

• Incorporer le bouillon chaud, le laurier et le thym. Couvrir et laisser mijoter 30 minutes.

• Enlever la feuille de laurier. Passer au robot culinaire. Saler et poivrer au goût.

• Garnir de feuilles d'endives. Servir.

## Valeur nutritive par portion

| | | |
|---|---|---|
| Calories ....................30 | Glucides ........................17 g | Fibres alimentaires ......................4 g |
| Protéines ....................3 g | Gras saturés ........................2 g | Sodium ......................590 mg |

# SOUPE
## asiatique au bœuf

Pour 4 à 6 personnes. Servir cette soupe avec les fèves germées encore croquantes. Elles feront contraste avec la texture du bœuf.

| | | | | | | |
|---|---|---|---|---|---|---|
| 6 tasses | eau | 1,5 l | 1 c. à thé | flocons d'oignon | 2 g |
| 2 c. à thé | vinaigre de riz | 10 ml | 1 c. à thé | sel d'ail | 3 g |
| 2 c. à thé | huile de sésame | 10 ml | 10 | champignons, tranchés | |
| ¼ de tasse | sauce soya | 60 ml | 4 | oignons verts, hachés | |
| 1 c. à thé | huile d'olive | 5 ml | 2 tasses | fèves germées | 100 g |
| ½ lb | bœuf, coupé en fines lamelles | 225 g | | | |

## Préparation

• Dans une casserole, faire chauffer l'eau, le vinaigre de riz, l'huile de sésame et la sauce soya.

• Dans une poêle, à feu assez élevé, faire revenir dans l'huile d'olive les lamelles de bœuf avec les flocons d'oignon et le sel d'ail.

• Ajouter le bœuf au bouillon, en même temps que les champignons, les oignons verts et les fèves germées. Réchauffer.

• Saler et poivrer au goût.

## Valeur nutritive par portion

| | | | | | |
|---|---|---|---|---|---|
| Calories | 60 | Glucides | 5 g | Fibres alimentaires | 1 g |
| Protéines | 12 g | Gras saturés | 1,5 g | Sodium | 790 mg |

# SOUPE
## won-ton au porc

Pour 4 personnes.

| | | | | | |
|---|---|---|---|---|---|
| 1 c. à thé | huile d'olive | 5 ml | 20 | feuilles de pâte won-ton | |
| 1 | gousse d'ail, hachée finement | | 1 | blanc d'œuf | |
| 1 | oignon vert, haché finement | | 4 tasses | eau | 1 l |
| ⅓ lb | porc haché maigre | 150 g | 1 c. à soupe | sauce soya | 15 ml |
| ½ c. à thé | huile de sésame | 2,5 ml | 1 c. à thé | huile de sésame | 5 ml |
| ½ c. à thé | vinaigre de riz | 2,5 ml | 5 | champignons, coupés en fines lanières | |
| 1 c. à thé | sauce soya | 5 ml | 2 | oignons verts, hachés | |

## Préparation

- Dans une poêle, faire revenir l'ail et l'oignon vert dans l'huile d'olive.

- Ajouter le porc, l'huile de sésame, le vinaigre et la sauce soya. Poursuivre la cuisson jusqu'à ce que le porc soit cuit. Laisser refroidir.

- Badigeonner les feuilles de pâte won-ton de blanc d'œuf et mettre 1 c. à thé (5 ml) du mélange au porc sur chacune. Refermer les pâtes en baluchon et bien presser la pâte à l'endroit où on la referme.

- Dans un chaudron, porter l'eau à ébullition avec la sauce soya et l'huile de sésame. Incorporer les pâtes won-ton, les champignons et les oignons verts. Laisser mijoter quelques minutes. Servir.

## Valeur nutritive par portion

| | | |
|---|---|---|
| Calories ..........100 | Glucides ..........25 g | Fibres alimentaires ..........1 g |
| Protéines ..........12 g | Gras saturés ..........3,5 g | Sodium ..........550 mg |

# SOUPE
## aux légumes de printemps

Pour 4 à 6 personnes. Le pesto parfume subtilement cette soupe. Comme les légumes utilisés sont tous verts, la soupe prend une teinte fabuleuse.

| | | |
|---|---|---|
| 2 c. à soupe | pesto | 30 ml |
| 2 | gousses d'ail, hachées | |
| 4 | oignons verts, hachés | |
| 6 tasses | bouillon de légumes | 1,5 l |
| 2 tasses | pois verts | 390 g |
| 15 | asperges, coupées en morceaux | |
| 40 | pois mange-tout | |
| 2 tasses | bébés épinards | 64 g |
| | Sel et poivre au goût | |

## Préparation

• Dans une casserole, faire dorer l'ail et les oignons verts dans le pesto.

• Verser le bouillon chaud et porter à ébullition.

• Ajouter successivement les pois, les asperges et les pois mange-tout. Couvrir et laisser mijoter 10 minutes.

• Ajouter les épinards. Continuer la cuisson 1 à 2 minutes.

• Saler et poivrer au goût.

## Valeur nutritive par portion

| | | |
|---|---|---|
| Calories ..................................20 | Glucides ..............................13 g | Fibres alimentaires ....................5 g |
| Protéines ................................6 g | Gras saturés ........................0,4 g | Sodium ..............................230 mg |

# SOUPE
## grecque au citron

Pour 4 à 6 personnes. Cette soupe typiquement grecque est aussi appelée *avgolemono*. Si vous aimez beaucoup le goût du citron, vous allez vous réjouir.

| | | |
|---|---|---|
| 6 tasses | bouillon de poulet | 1,5 l |
| ½ tasse | riz | 95 g |
| 2 | œufs | |
| 1 | citron pressé | |
| | Sel et poivre au goût | |

## Préparation

• Dans une casserole, porter le bouillon de poulet à ébullition. Réduire le feu, verser le riz et cuire à couvert jusqu'à ce qu'il soit tendre.

• Pendant ce temps, battre les œufs et le jus de citron dans un bol. Ajouter ½ tasse (125 ml) du bouillon de poulet chaud et remuer.

• Une fois le riz cuit, baisser le feu. Verser le mélange aux œufs en remuant avec un fouet. Poursuivre la cuisson quelques minutes. Saler et poivrer au goût.

• Décorer de citron selon votre inspiration. Servir.

## Valeur nutritive par portion

| | | |
|---|---|---|
| Calories ................... 20 | Glucides ................... 15 g | Fibres alimentaires ................... 1 g |
| Protéines ................... 4 g | Gras saturés ................... 0,5 g | Sodium ................... 340 mg |

# SOUPE
## au pain

Pour 4 personnes. Cette soupe nous ramène aux origines de la soupe, alors qu'on voulait donner une seconde vie au pain rassis. Prenez soin d'utiliser un pain de très bonne qualité.

| | | |
|---|---|---|
| 1 c. à soupe | beurre | 15 g |
| 1 | gousse d'ail, hachée | |
| ½ | oignon espagnol, haché | |
| 3 tasses | pain intégral, coupé en dés | 180 g |
| 5 tasses | bouillon de poulet | 1,25 l |
| 4 | œufs | |

## Préparation

- Dans une casserole, faire dorer l'ail et l'oignon dans le beurre.

- Ajouter le pain et remuer 1 à 2 minutes à feu moyen.

- Incorporer le bouillon et laisser mijoter à couvert 15 minutes.

- Verser la soupe dans les bols de service. Casser un œuf dans chaque bol. Faire cuire au four 10 à 12 minutes à 350 °F (175 °C), ou jusqu'à ce que la cuisson des œufs soit à votre goût. Saler et poivrer au goût. Servir aussitôt.

## Valeur nutritive par portion

| | | |
|---|---|---|
| Calories ..................80 | Glucides ..........................15 g | Fibres alimentaires ......................2 g |
| Protéines ..................9 g | Gras saturés ..........................3,5 g | Sodium ..........................700 mg |

# SOUPE
## au tofu et au poulet

Pour 4 personnes. Le beurre d'arachide donne beaucoup de richesse et de saveur à cette recette.

| | | | | | |
|---|---|---|---|---|---|
| 1 c. à soupe | huile d'olive | 15 ml | ⅛ de tasse | beurre d'arachide | 30 ml |
| 1 | oignon, haché | | 1 c. à thé | paprika | 3 g |
| 1 | gousse d'ail, hachée | | 1 c. à thé | cari | 3 g |
| ½ bloc | tofu | 225 g | 1 branche | céleri, coupé en dés | |
| ½ lb | poitrine de poulet | 225 g | ½ | poivron vert, coupé en dés | |
| 1 tasse | lait de coco | 250 ml | 4 tasses | brocoli, en bouquets | 370 g |
| 3 tasses | eau | 750 ml | | | |

## Préparation

• Dans une casserole, faire revenir l'oignon et l'ail dans l'huile.

• Ajouter le tofu et le poulet, coupés selon votre goût. Poursuivre la cuisson 1 à 2 minutes à feu moyen puis incorporer le lait de coco, l'eau, le beurre d'arachide, le paprika et le cari. Porter à ébullition.

• Ajouter le céleri et le poivron vert. Réduire le feu et laisser mijoter à couvert 15 minutes.

• Ajouter le brocoli. Poursuivre la cuisson 10 minutes. Saler et poivrer au goût.

## Valeur nutritive par portion

| | | | | | |
|---|---|---|---|---|---|
| Calories | 100 | Glucides | 15 g | Fibres alimentaires | 5 g |
| Protéines | 23 g | Gras saturés | 2 g | Sodium | 180 mg |

# BISQUE
## de homard

Pour 6 à 8 personnes. Si vous n'avez pas de xérès sous la main, utilisez un cognac ou un brandy. Le xérès donnera toutefois un goût plus doux à votre bisque. Le xérès est un vin fortifié originaire du sud de l'Espagne.

| | | | | | | |
|---|---|---|---|---|---|---|
| 1 ½ lb | homard vivant | 675 g | | 1 tasse | bouillon de poulet | 250 ml |
| 1 | feuille de laurier | | | 1 c. à soupe | pâte de tomate | 15 ml |
| | Quelques feuilles de céleri | | | 3 c. à soupe | persil frais, haché | 10 g |
| 1 tasse | carottes, coupées en dés | 128 g | | 1 ½ c. à soupe | thym frais | 5 g |
| 1 | oignon, haché | | | ⅓ de tasse | beurre | 80 g |
| 1 branche | céleri, coupé en dés | | | ¼ de tasse | farine | 38 g |
| 2 c. à soupe | xérès | 30 ml | | 3 tasses | lait | 750 ml |
| ½ tasse | vin blanc | 125 ml | | | Sel et poivre blanc au goût | |

## Préparation

- Dans une grande casserole, faire bouillir le homard 10 minutes dans une grande quantité d'eau. Retirer le homard de l'eau pour le passer sous l'eau froide. Garder 4 tasses (1 litre) de votre eau de cuisson.

- Décortiquer le homard, en prenant soin de récupérer tout le jus du crustacé. Réserver la chair.

- Dans la même grande casserole, déposer la carapace du homard, l'eau de cuisson, la feuille de laurier et quelques feuilles de céleri. Porter à ébullition, réduire le feu et laisser mijoter 30 minutes. Filtrer à la passoire fine.

- Pendant ce temps, dans une autre casserole, faire dorer la carotte, l'oignon et le céleri dans 2 c. à soupe de beurre. Ajouter la chair de homard et bien remuer. Arroser du xérès et flamber.

- Incorporer le vin blanc, le bouillon de poulet, le bouillon du homard, la pâte de tomate, le persil et le thym. Couvrir et laisser mijoter 20 minutes. Passer au robot culinaire.

- Préparer la béchamel au four à micro-ondes. Faire chauffer la farine et le reste du beurre 30 secondes. Ajouter le lait. Remettre la soupe à chauffer au moins 7 à 8 minutes en remuant de temps en temps. Ajouter la béchamel à la soupe. Réchauffer et servir.

## Valeur nutritive par portion

| | | |
|---|---|---|
| Calories ........................90 | Glucides ........................11 g | Fibres alimentaires ........................1 g |
| Protéines ........................8 g | Gras saturés ........................6 g | Sodium ........................220 mg |

AU FIL DE **L'ÉTÉ**

# SOUPES D'ÉTÉ

# POTAGE CRÉMEUX
## à la courgette

Pour 4 personnes. En saison, les courgettes nous sortent par les oreilles. On ne sait plus quoi en faire ! Voici une recette de potage qui vous permettra d'accumuler des réserves au congélateur.

| | | |
|---|---|---|
| 1 c. à soupe | beurre | 15 g |
| 2 | gousses d'ail, émincées | |
| 3 | blancs de poireaux, émincés | |
| 5 tasses | courgettes, pelées et coupées en dés | 650 g |
| 2 | pommes de terre, pelées et coupées en dés | |
| 5 tasses | bouillon de poulet | 1,25 l |
| 2 c. à thé | coriandre moulue | 6 g |
| | Sel et poivre au goût | |

## Préparation

• Dans un grand chaudron, à feu moyen, faire revenir l'ail et les blancs de poireaux dans le beurre 2 à 3 minutes.

• Ajouter les dés de courgettes et de pommes de terre. Poursuivre la cuisson 2 minutes.

• Incorporer le bouillon de poulet et la coriandre. Porter à ébullition, réduire le feu et laisser mijoter à couvert une trentaine de minutes.

• Passer au robot culinaire.

• Assaisonner au goût.

## Valeur nutritive par portion

| | | |
|---|---|---|
| Calories....................170 | Glucides .........................23 g | Fibres alimentaires ......................3 g |
| Protéines .........................4 g | Gras saturés .......................7 g | Sodium ...........................550 mg |

# CRÈME
## de champignons

Pour 4 personnes. Vous pouvez ajouter un bouquet d'herbes fraîches en guise de décoration pour rehausser la couleur de cette crème.

| | | |
|---|---|---|
| 1 c. à soupe | beurre | 15 g |
| 1 | oignon, haché | |
| 2 | gousses d'ail, émincées | |
| 2 paquets | champignons blancs, bien nettoyés et tranchés | 450 g |
| 1 | pomme de terre, coupée en dés | |
| 3 ½ tasses | bouillon de poulet | 875 ml |
| ½ tasse | crème champêtre 15 % | 125 ml |
| 1 pincée | origan séché | |
| | Sel et poivre au goût | |

## Préparation

• Dans un chaudron, à feu moyen, faire revenir l'oignon et l'ail dans le beurre 2 minutes.

• Ajouter les champignons tranchés, la pomme de terre coupée en dés et poursuivre la cuisson 5 minutes.

• Incorporer le bouillon de poulet et laisser mijoter à couvert une bonne vingtaine de minutes, ou jusqu'à ce que la pomme de terre soit cuite.

• Passer au robot culinaire. Ajouter la crème et une pincée d'origan.

• Saler et poivrer au goût.

## Valeur nutritive par portion

| | | |
|---|---|---|
| Calories ..................140 | Glucides ..................12 g | Fibres alimentaires ..................2 g |
| Protéines ..................6 g | Gras saturés ..................8 g | Sodium ..................370 mg |

# SOUPE
## au poulet et au quinoa

Pour 6 personnes. Le quinoa est une céréale savoureuse et riche en protéines. Il a un bon petit goût de noisette.

| | | | | | | |
|---|---|---|---|---|---|---|
| 1 c. à soupe | huile d'olive | 15 ml | 1 tasse | carottes, coupées en dés | 129 g |
| 2 | gousses d'ail, émincées | | 1 | pomme de terre, coupée en dés | |
| ½ lb | poitrine de poulet, coupée en dés | 225 g | 1 tasse | maïs en boîte | 160 g |
| 1 c. à thé | cari | 3 g | 2 tasses | chou-fleur, en bouquets | 210 g |
| 1 | branche de céleri, coupée en dés | | ½ tasse | quinoa, rincé | 90 g |
| 8 tasses | bouillon de poulet | 2 l | | Sel et poivre au goût | |

## Préparation

• Dans un chaudron, à feu moyen, faire revenir l'ail et le poulet dans l'huile d'olive jusqu'à ce que le poulet se colore légèrement.

• Ajouter le cari et le céleri. Bien remuer et poursuivre la cuisson 1 minute.

• Incorporer le bouillon, les dés de carottes, la pomme de terre et le maïs.

• Porter à ébullition, couvrir et laisser mijoter une dizaine de minutes.

• Ajouter le chou-fleur et le quinoa rincé. Poursuivre la cuisson 15 à 20 minutes, ou jusqu'à ce que le quinoa soit cuit.

• Saler et poivrer au goût.

## Valeur nutritive par portion

| | | | | | |
|---|---|---|---|---|---|
| Calories | 200 | Glucides | 26 g | Fibres alimentaires | 3 g |
| Protéines | 13 g | Gras saturés | 5 g | Sodium | 660 mg |

# SOUPE
## miso

Pour 4 à 6 personnes. Cette soupe miso se concocte en moins de 15 minutes. En Asie, on cuisine le miso depuis plus de 2500 ans. Cette pâte à base de fèves de soya est très riche en protéines.

| | | |
|---|---|---|
| 6 tasses | eau | 1,5 l |
| ¼ de tasse | miso | 60 ml |
| ½ bloc | tofu, coupé en cubes | 225 g |
| 4 | oignons verts, hachés | |
| 5 | champignons, tranchés | |
| ¼ de tasse | coriandre fraîche | 15 g |
| 1 | avocat, coupé en dés | |
| 1 tasse | fèves germées | 50 g |
| | Sel et poivre au goût | |

## Préparation

- Dans une casserole, faire chauffer l'eau et le miso jusqu'à la dissolution de ce dernier. Il est important de ne jamais faire bouillir le mélange, pour ne pas perdre les propriétés du miso.

- Ajouter le tofu, les oignons verts et les champignons. Poursuivre la cuisson 5 à 7 minutes.

- Incorporer la coriandre, l'avocat et les fèves germées quelques minutes avant de servir. Vous pouvez ajouter un trait de sauce soya dans chaque bol pour donner encore plus de goût à votre soupe.

## Valeur nutritive par portion

| | | |
|---|---|---|
| Calories ......................70 | Glucides ......................11 g | Fibres alimentaires ......................5 g |
| Protéines ......................8 g | Gras saturés ......................1,5 g | Sodium ......................450 mg |

# SOUPE
## poulet et maïs

Pour 4 personnes. Cette soupe est d'une grande simplicité. Elle saura très certainement charmer vos enfants.

| | | |
|---|---|---|
| 1 c. à soupe | huile d'olive | 15 ml |
| 1 | oignon, haché | |
| 2 | gousses d'ail, hachées | |
| 1 | poivron rouge, coupé en dés | |
| 4 tasses | bouillon de poulet | 1 l |
| 1 tasse | poulet cuit, coupé en petits morceaux | 150 g |
| 1 tasse | maïs surgelé | 163 g |
| ¼ de tasse | pois surgelés | 38 g |
| ¼ c. à thé | thym séché | 1 ml |
| | Sel et poivre au goût | |

## Préparation

• Dans une casserole, faire dorer l'oignon et l'ail dans l'huile d'olive.

• Ajouter le poivron rouge et poursuivre la cuisson 1 à 2 minutes.

• Incorporer le bouillon chaud, puis le reste des ingrédients.

• Laisser mijoter à couvert une vingtaine de minutes. Assaisonner au goût. Servir.

## Valeur nutritive par portion

| | | |
|---|---|---|
| Calories.....................50 | Glucides .........................15 g | Fibres alimentaires .......................2 g |
| Protéines .........................14 g | Gras saturés .........................1 g | Sodium ................................410 mg |

# SOUPE
## aux gourganes

Pour 4 à 6 personnes. Cette recette provient du royaume de la gourgane, le Lac St-Jean.

| | | | | | | |
|---|---|---|---|---|---|---|
| 2 tasses | gourganes fraîches | 240 g | 5 | feuilles de laitue frisée | |
| 1 | os à soupe | | 5 | oignons verts | |
| 8 tasses | eau | 2 l | 1 | carotte, coupée en dés | |
| 1 c. à soupe | orge | 12 g | ½ tasse | navet, coupé en dés | 69 g |
| 5 | feuilles de chou | | 1 sachet | soupe poulet et nouilles | |
| 5 | feuilles de navet | | | Sel et poivre au goût | |
| 5 | feuilles de betterave | | | | |

## Préparation

- Dans une grande casserole, déposer les gourganes, l'os à soupe, l'eau et l'orge. Porter à ébullition et réduire le feu.

- Pendant ce temps, hacher finement les feuilles de chou, de navet, de betterave et de laitue. Faire de même avec les queues des oignons verts. Ajouter aux gourganes.

- Laisser mijoter à couvert environ 1 h 30, puis ajouter la carotte et le navet. Poursuivre la cuisson 15 minutes.

- Ajouter 1 sachet de soupe poulet et nouilles. Poursuivre la cuisson 15 minutes. Saler et poivrer au goût.

## Valeur nutritive par portion

| | | |
|---|---|---|
| Calories .........................0 | Glucides ..........................13 g | Fibres alimentaires ....................4 g |
| Protéines ......................4 g | Gras saturés ....................0,1 g | Sodium ..............................180 mg |

# BORTSCH

Pour 4 à 6 personnes. Soupe originaire de l'Europe de l'Est dont les variations sont très nombreuses. Voici une version rafraîchissante que vous pourrez servir tiède ou froide en plein été.

| | | |
|---|---|---|
| 1 c. à soupe | huile d'olive | 15 ml |
| 1 | oignon, coupé en dés | |
| 2 | pommes de terre, coupées en dés | |
| 3 | carottes, coupées en dés | |
| 3 | betteraves, pelées et coupées en dés | |
| 6 tasses | bouillon de bœuf | 1,5 l |

| | | |
|---|---|---|
| 1 | feuille de chou, émincée | |
| 2 | tomates, épépinées et coupées en dés | |
| 1 c. à soupe | jus de citron frais | 15 ml |
| 2 | feuilles de laurier | |
| | Sel et poivre au goût | |

## Préparation

• Dans une casserole, faire revenir l'oignon dans l'huile, avant d'ajouter les pommes de terre et les carottes.

• Après quelques minutes, incorporer les betteraves et le bouillon chaud. Amener à ébullition et laisser mijoter à couvert 30 minutes.

• Ajouter le reste des ingrédients et poursuivre la cuisson une dizaine de minutes.

• Laisser refroidir. Saler et poivrer au goût. Servir avec une bonne dose de crème sûre.

## Valeur nutritive par portion

| | | |
|---|---|---|
| Calories .................... 25 | Glucides .................... 15 g | Fibres alimentaires .................... 3 g |
| Protéines .................... 2 g | Gras saturés .................... 0,4 g | Sodium .................... 360 mg |

# POTAGE
## à la patate douce

Pour 4 personnes. On n'utilise pas assez souvent la patate douce. Et pourtant, son goût sucré est exquis.

| | | |
|---|---|---|
| 1 c. à soupe | huile d'olive | 15 ml |
| 1 tasse | poireau, haché | 94 g |
| 1 | gousse d'ail, hachée | |
| 4 tasses | patate douce, coupée en dés | 560 g |
| 4 tasses | bouillon de légumes | 1 l |
| ½ c. à thé | moutarde en poudre | 1,5 g |
| | Sel et poivre au goût | |

## Préparation

• Dans une casserole, faire dorer le poireau et l'ail dans l'huile d'olive.

• Après quelques minutes, ajouter la patate douce, le bouillon chaud, puis le reste des ingrédients. Laisser mijoter à couvert 20 à 25 minutes.

• Passer le potage au robot culinaire. Saler et poivrer au goût. Servir avec un trait de crème ou de lait de coco.

## Valeur nutritive par portion

| | | |
|---|---|---|
| Calories .............................................35 | Glucides .................................31 g | Fibres alimentaires .......................5 g |
| Protéines .........................................3 g | Gras saturés .............................0,5 g | Sodium ...................................450 mg |

# SOUPE
## won-ton aux crevettes

Pour 4 personnes. Ces petits raviolis chinois aux crevettes sauront vous surprendre par leur croquant et leur goût citronné.

| | | |
|---|---|---|
| 1 c. à soupe | huile d'olive | 15 ml |
| 1 | oignon, haché finement | |
| 1 | gousse d'ail, hachée finement | |
| 10 | grosses crevettes, non décortiquées | |
| ¼ de boîte | chataîgnes d'eau, hachées finement | 50 ml |
| 2 c. à thé | jus de citron frais | 10 ml |

| | | |
|---|---|---|
| | Sel et poivre au goût | |
| ½ tasse | vin blanc | 125 ml |
| 4 ½ tasses | eau | 1,125 l |
| 2 c. à soupe | sauce de poisson | 30 ml |
| 2 | oignons verts, hachés | |
| 20 | pâtes won-ton | |
| 1 | blanc d'œuf | |

## Préparation

- Dans une poêle, à feu assez élevé, faire revenir l'oignon et l'ail dans l'huile d'olive. Ajouter les crevettes et poursuivre la cuisson jusqu'à ce qu'elles soient rosées. Retirer du feu.

- Décortiquer les crevettes, les hacher et les remettre à cuire avec l'oignon et l'ail. Ajouter les chataîgnes, le jus de citron, le sel et le poivre au goût. Réserver.

- Dans une casserole, déposer les carapaces des crevettes avec le vin blanc, l'eau et la sauce de poisson. Laisser mijoter à couvert 15 minutes avant de filtrer à la passoire fine. Remettre le bouillon à chauffer avec les oignons verts.

- Déposer 1 c. à thé (5 ml) du mélange aux crevettes sur chacune des pâtes won-ton. Badigeonner le tour de la pâte de blanc d'œuf avant de la plier en deux pour former un triangle. Rabattre les deux autres côtés vers l'intérieur.

- Plonger les won-ton dans le bouillon 5 minutes et servir.

## Valeur nutritive par portion

| | | |
|---|---|---|
| Calories......................40 | Glucides......................27 g | Fibres alimentaires......................1 g |
| Protéines......................9 g | Gras saturés......................0,5 g | Sodium......................860 mg |

# CHAUDRÉE
## de chou-fleur, brocoli et thon

Pour 4 personnes.

| | | |
|---|---|---|
| 1 c. à soupe | huile d'olive | 15 ml |
| 1 | gousse d'ail, hachée | |
| 1 | blanc de poireau, haché | |
| 1 branche | céleri, coupé en dés | |
| ½ | carotte, coupée en dés | |
| 2 tasses | chou-fleur, coupé en petits bouquets | 210 g |
| 1 c. à soupe | bouillon de légumes en poudre | 15 g |
| 1 c. à soupe | persil frais, haché | 3 g |

| | | |
|---|---|---|
| ¼ c. à thé | cari | 1 ml |
| ¼ c. à thé | curcuma | 1 ml |
| 3 tasses | eau | 750 ml |
| 2 tasses | lait | 500 ml |
| 2 tasses | brocoli, coupé en petits bouquets | 186 g |
| 1 boîte | thon en boîte | 133 g |
| 1 tasse | cheddar fort, râpé | 100 g |
| | Sel et poivre au goût | |

## Préparation

• Dans une grande casserole, chauffer l'huile d'olive pour faire revenir l'ail et le poireau quelques minutes.

• Ajouter le céleri, la carotte et le chou-fleur. Poursuivre la cuisson 2 minutes.

• Ajouter le bouillon de légumes en poudre, le persil, le cari et le curcuma. Bien remuer.

• Incorporer l'eau et le lait. Laisser mijoter 10 minutes.

• Ajouter le brocoli et le thon. Poursuivre la cuisson pendant 5 à 7 minutes.

• Ajouter le cheddar et laisser fondre. Saler et poivre au goût. Servir bien chaud.

## Valeur nutritive par portion

| | | |
|---|---|---|
| Calories....................140 | Glucides.....................17 g | Fibres alimentaires.....................4 g |
| Protéines.....................22 g | Gras saturés.....................8 g | Sodium.....................900 mg |

# POTAGE
## de chou-fleur

Pour 4 personnes. Le cari vient rehausser le goût du chou-fleur dans cette recette. De plus, le fromage cheddar donne une texture crémeuse à ce potage.

| | | | | | | |
|---|---|---|---|---|---|---|
| 2 c. à soupe | beurre | 30 g | 4 tasses | eau | 1 l |
| 1 | oignon, haché | | ½ c. à thé | gingembre moulu | 1 g |
| 1 | gousse d'ail, hachée | | 1 c. à thé | cari | 3 g |
| ¼ de tasse | riz au jasmin | 48 g | ½ tasse | cheddar fort, râpé | 50 g |
| 5 tasses | chou-fleur | 528 g | | Sel et poivre au goût | |

## Préparation

- Dans une casserole, faire dorer l'oignon et l'ail dans le beurre. Ajouter le riz et bien l'enrober de beurre 1 à 2 minutes.

- Incorporer le chou-fleur, l'eau, le gingembre et le cari. Laisser mijoter à couvert une vingtaine de minutes, jusqu'à ce que le chou-fleur soit très mou.

- Passer au robot culinaire. Ajouter le fromage râpé. Mélanger à nouveau. Saler et poivrer au goût. Au moment de servir, garnir de cheddar râpé.

## Valeur nutritive par portion

| | | |
|---|---|---|
| Calories............100 | Glucides............19 g | Fibres alimentaires............5 g |
| Protéines............7 g | Gras saturés............6 g | Sodium............290 mg |

# SOUPE
## tomate et tofu

Pour 4 personnes. En laissant mijoter longtemps cette soupe, le tofu ne s'en portera que mieux. Il aura alors le temps de se gorger de saveurs.

| | | | | | | |
|---|---|---|---|---|---|---|
| 1 c. à soupe | huile d'olive | 15 ml | 1 | carotte, coupée en dés | | |
| 1 | oignon, haché | | 10 | olives noires, tranchées | | |
| 1 | gousse d'ail, hachée finement | | ½ c. à thé | herbes de Provence | 1 g | |
| ½ bloc | tofu, coupé en dés | 225 g | ½ c. à thé | paprika | 1 g | |
| 1 boîte | tomates italiennes | 300 g | | Sel et poivre au goût | | |
| 2 tasses | bouillon de légumes | 500 ml | | | | |

## Préparation

• Dans une casserole, à feu assez élevé, faire dorer l'oignon et l'ail dans l'huile d'olive. Ajouter le tofu et poursuivre la cuisson 2 à 3 minutes.

• Incorporer les tomates, le bouillon chaud, puis le reste des ingrédients. Laisser mijoter à couvert une trentaine de minutes.

• Saler et poivrer au goût. Décorer d'herbes de Provence et servir.

## Valeur nutritive par portion

| | | |
|---|---|---|
| Calories ........................70 | Glucides ......................10 g | Fibres alimentaires .....................3 g |
| Protéines ........................6 g | Gras saturés ........................1 g | Sodium ..................520 mg |

# POTAGE
## froid aux poivrons grillés

Pour 4 personnes. Le goût des poivrons grillés est d'une richesse infinie. Vous pouvez les faire griller sur le barbecue ou au four.

| | | |
|---|---|---|
| 5 | poivrons rouges | |
| 1 c. à soupe | huile d'olive | 15 ml |
| 1 | oignon, haché | |
| 4 | gousses d'ail, hachées | |

| | | |
|---|---|---|
| 1 | pomme de terre, coupée en dés | |
| 4 tasses | bouillon de légumes | 1 l |
| ½ tasse | fromage feta | 50 g |
| 4 c. à thé | vinaigre balsamique | 20 ml |

## Préparation

• Sur une plaque à biscuits, faire rôtir les poivrons au four à 500 °F (260 °C) sur la grille du haut, en les tournant régulièrement, jusqu'à ce que la peau soit noircie.

• Laisser refroidir les poivrons, soit dans un plat fermé hermétiquement, soit dans un bol sur lequel on dépose un linge mouillé ou une pellicule plastique. Enlever la peau, le cœur et les pépins.

• Dans une casserole, faire revenir l'oignon et l'ail dans l'huile d'olive. Ajouter la pomme de terre et les poivrons grillés. Poursuivre la cuisson quelques minutes.

• Incorporer le bouillon de légumes. Laisser mijoter à couvert 15 minutes et faire refroidir.

• Passer au robot culinaire avec le fromage feta et le vinaigre balsamique. Saler et poivrer au goût. Garnir de fromage feta émietté et servir froid.

## Valeur nutritive par portion

| | | |
|---|---|---|
| Calories ....................................60 | Glucides .............................21 g | Fibres alimentaires .....................4 g |
| Protéines ................................5 g | Gras saturés .........................2,5 g | Sodium ...............................530 mg |

# VICHYSSOISE

Pour 4 personnes. Ce potage d'origine française est d'une simplicité étonnante. C'est un mélange gagnant de pommes de terre et de poireaux.

| | | | | | |
|---|---|---|---|---|---|
| 1 c. à soupe | beurre | 15 g | 5 tasses | bouillon de légumes | 1,25 l |
| 1 | oignon, haché | | | Sel et poivre au goût | |
| 2 tasses | poireaux, hachés | 188 g | ¼ de tasse | crème champêtre (15 %) | 60 ml |
| 3 tasses | pommes de terre, coupées en dés | 475 g | | | |

## Préparation

• Dans une casserole, faire revenir l'oignon et le poireau dans le beurre, 5 minutes, en remuant constamment.

• Ajouter les pommes de terre et poursuivre la cuisson 2 minutes.

• Incorporer le bouillon de légumes chaud. Laisser mijoter à couvert 25 à 30 minutes.

• Passer le mélange au robot culinaire. Saler et poivrer au goût. Laisser refroidir.

• Ajouter la crème champêtre. Garnir de ciboulette. Servir froid.

## Valeur nutritive par portion

| | | |
|---|---|---|
| Calories ....................50 | Glucides .................................41 g | Fibres alimentaires .....................5 g |
| Protéines .........................5 g | Gras saturés ...........................3,5 g | Sodium ...............................530 mg |

# SOUPE
## aux crevettes et au tofu

Pour 4 personnes. Les bâtons de citronnelle sont de plus en plus faciles à trouver dans les supermarchés. Vous pouvez aussi les remplacer par un trait de jus de lime.

| | | | | | | |
|---|---|---|---|---|---|---|
| 1 c. à soupe | huile d'olive | 15 ml | | 2 c. à soupe | tamari | 30 ml |
| 1 | gousse d'ail, hachée | | | 1 c. à thé | huile de sésame | 5 ml |
| 1 c. à soupe | gingembre frais, haché | 6 g | | 40 | petites crevettes, décortiquées | |
| ½ bloc | tofu, coupé en dés | 225 g | | ½ tasse | coriandre fraîche | 10 g |
| 6 tasses | bouillon de poulet | 1,5 l | | 1 tasse | épinards frais | 30 g |
| 1 | bâton de citronnelle | | | 2 | oignons verts, coupés en rondelles | |

## Préparation

• Dans une poêle, faire revenir l'ail et le gingembre dans l'huile. Ajouter le tofu. Poursuivre la cuisson 3 à 4 minutes pour faire griller légèrement le tofu.

• Dans une casserole, faire chauffer le bouillon de poulet avec le bâton de citronnelle qu'on aura pris soin d'écraser pour profiter au maximum de sa saveur. On ne l'enlève qu'en fin de cuisson.

• Incorporer au bouillon le mélange au tofu, le tamari, l'huile de sésame et les crevettes. Laisser mijoter 5 minutes.

• Ajouter la coriandre ciselée, les épinards et les oignons verts quelques minutes avant de servir. Saler et poivrer au goût.

## Valeur nutritive par portion

| | | |
|---|---|---|
| Calories ........................................70 | Glucides ........................................8 g | Fibres alimentaires .....................2 g |
| Protéines ....................................15 g | Gras saturés ................................1,5 g | Sodium ................................1160 mg |

# SOUPE
## aux crevettes et au bok choy

Pour 4 personnes. La pâte de cari rouge se trouve maintenant avec facilité dans la plupart des épiceries. Il faut cependant savoir la doser selon votre tolérance aux piments forts.

| | | | | | |
|---|---|---|---|---|---|
| 1 c. à soupe | huile d'olive | 15 ml | ¼ | poivron rouge, coupé en lanières | |
| 1 | gousse d'ail, hachée | | 2 | oignons verts, hachés | |
| 1 c. à thé | pâte de cari rouge | 5 ml | 40 | petites crevettes, décortiquées | |
| ½ boîte | lait de coco | 200 ml | 2 tasses | bébé bok choy | 186 g |
| 3 tasses | bouillon de poulet | 750 ml | 1 tasse | fèves germées | 50 g |
| 1 c. à thé | sucre | 4 g | | Sel et poivre au goût | |

## Préparation

- Dans une casserole, faire dorer l'ail dans l'huile d'olive.

- Ajouter la pâte de cari rouge et poursuivre la cuisson 1 minute à feu moyen. Remuer constamment.

- Incorporer le lait de coco, le bouillon chaud et le sucre. Laisser mijoter à couvert 10 minutes.

- Ajouter à tour de rôle le poivron, les oignons verts, les crevettes et le bok choy. Poursuivre la cuisson 10 minutes.

- Ajouter les fèves germées quelques minutes avant de servir. Saler et poivrer au goût.

## Valeur nutritive par portion

| | | |
|---|---|---|
| Calories ............................60 | Glucides ...........................8 g | Fibres alimentaires ......................1 g |
| Protéines .........................27 g | Gras saturés ....................1 g | Sodium .................................520 mg |

# POTAGE
## de brocoli à l'havarti

Pour 4 personnes. L'havarti est un fromage soyeux d'origine danoise dont le goût s'apparente à celui du beurre.

| | | |
|---|---|---|
| 1 c. à soupe | huile d'olive | 15 ml |
| 1 | oignon, haché | |
| 1 | gousse d'ail, hachée | |
| 1 | pomme de terre, coupée en dés | |
| 1 tasse | courgette, coupée en dés | 130 g |

| | | |
|---|---|---|
| 4 tasses | bouillon de légumes | 1 l |
| 5 tasses | bouquets de brocoli | 465 g |
| 1 tasse | havarti, râpé | 100 g |
| 1 pincée | poivre de Cayenne | |
| | Sel et poivre au goût | |

## Préparation

- Dans une casserole, faire dorer l'oignon et l'ail dans l'huile d'olive.

- Ajouter la pomme de terre et la courgette. Poursuivre la cuisson 2 minutes à feu moyen.

- Incorporer le bouillon chaud et les bouquets de brocoli. Laisser mijoter à couvert 20 à 25 minutes.

- Passer au robot culinaire. Ajouter le fromage râpé. Broyer à nouveau. Saler et poivrer au goût. Servir.

## Valeur nutritive par portion

| | | |
|---|---|---|
| Calories ..................................70 | Glucides ...............................17 g | Fibres alimentaires .....................4 g |
| Protéines ...............................12 g | Gras saturés ..........................3,5 g | Sodium ................................550 mg |

# SOUPE
## de concombres

Pour 4 personnes. Voici une soupe dont le goût se rapproche de celui du tzatziki. À déguster en plein été alors que les concombres sont à leur meilleur.

| | | |
|---|---|---|
| 4 | concombres | |
| 1 ½ tasse | yogourt nature | 375 ml |
| 2 | gousses d'ail | |
| 2 c. à soupe | huile d'olive | 30 ml |
| 2 c. à soupe | jus de citron frais | 30 ml |
| | Sel et poivre au goût | |

## Préparation

• Peler les concombres, les épépiner et les saupoudrer de sel. Laisser dégorger une vingtaine de minutes. Rincer et essorer.

• Déposer les concombres dans le robot culinaire avec le reste des ingrédients. Broyer.

• Garnir de yogourt et de feuilles de menthe. Servir froid.

## Valeur nutritive par portion

| | | |
|---|---|---|
| Calories ...........60 | Glucides .............19 g | Fibres alimentaires ..........2 g |
| Protéines ..........7 g | Gras saturés ..........1 g | Sodium ..............75 mg |

# SOUPE
## *râpée*

Pour 2 à 4 personnes. Une belle soupe rafraîchissante à servir en pleine canicule. Si vous n'avez pas de robot culinaire, utilisez une mandoline ou une râpe à fromage pour les légumes.

| | | |
|---|---|---|
| 1 | carotte | |
| 1 tasse | chou | 94 g |
| 1 | courgette | |
| 1 | oignon vert, haché | |
| 1 | gousse d'ail, pressée | |
| 2 tasses | jus de tomate | 500 ml |
| 1 tasse | eau | 250 ml |
| 10 feuilles | basilic frais, haché | |
| | Sel et poivre au goût | |

## Préparation

• Râper à l'aide d'un robot culinaire la carotte, le chou et la courgette.

• Déposer les légumes dans un bol.

• Ajouter l'oignon vert, l'ail, le jus de tomate, l'eau et le basilic. Remuer.

• Laisser refroidir au réfrigérateur. Saler et poivrer.

• Décorer d'oignon vert et de basilic ciselé. Servir froid à la manière de martinis.

## Valeur nutritive par portion

| | | |
|---|---|---|
| Calories .......................................60 | Glucides .............................12 g | Fibres alimentaires ......................2 g |
| Protéines ................................15 g | Gras saturés ..........................1 g | Sodium ...............................125 mg |

# SOUPE
## de bette à carde

Pour 4 à 6 personnes. De la famille des betteraves, on retrouve de plus en plus la bette à carde dans les supermarchés. Sa tige est blanche, rouge ou jaune. Son goût est doux et s'agence bien avec celui de la pomme de terre et du parmesan.

| | | |
|---|---|---|
| 2 c. à soupe | huile d'olive | 30 ml |
| 1 | oignon, haché | |
| 2 | carottes, coupées en dés | |
| 2 | pommes de terre, coupées en dés | |
| 3 tasses | tiges de bette à carde, hachées | 114 g |
| 6 tasses | eau | 1,5 l |
| 1 ½ tasse | parmesan frais, râpé | 150 g |
| | Sel et poivre au goût | |

## Préparation

• Dans une casserole, faire revenir l'oignon dans l'huile d'olive.

• Ajouter les carottes, les pommes de terre et la bette à carde. Poursuivre la cuisson 3 à 4 minutes à feu moyen.

• Incorporer l'eau et le parmesan. Couvrir et laisser mijoter 30 minutes.

• Saler et poivrer.

## Valeur nutritive par portion

| | | |
|---|---|---|
| Calories ..........110 | Glucides ..........11 g | Fibres alimentaires ..........2 g |
| Protéines ..........12 g | Gras saturés ..........5 g | Sodium ..........470 mg |

# GASPACHO

Pour 4 personnes. Ce grand classique espagnol saura vous rafraîchir pendant les journées chaudes d'été. En pleine canicule, on sert cette soupe vitaminée accompagnée de glace concassée.

| | | | | | | |
|---|---|---|---|---|---|---|
| 1 tranche | pain de blé entier | | 2 | gousses d'ail | |
| 2 | grosses tomates, épépinées | 500 g | 2 c. à soupe | huile d'olive | 30 ml |
| ½ | poivron vert | | 2 c. à soupe | vinaigre de vin | 30 ml |
| ½ | poivron rouge | | | Sel et poivre au goût | |
| 1 | concombre, épépiné | | | | |

## Préparation

- Couper le pain en morceaux et le faire tremper quelques minutes dans un bol rempli d'eau. Enlever l'excédent d'eau après le trempage.

- Pendant ce temps, couper en morceaux les tomates, le concombre, le poivron vert, le poivron rouge et l'ail. Mélanger au robot culinaire.

- Incorporer l'huile et le pain. Broyer à nouveau.

- Ajouter le vinaigre, le sel et le poivre au goût. Ajouter un peu d'eau si le gaspacho n'est pas assez liquide.

- Servir très froid.

## Valeur nutritive par portion

| | | | | | |
|---|---|---|---|---|---|
| Calories | 150 | Glucides | 17 g | Fibres alimentaires | 3 g |
| Protéines | 3 g | Gras saturés | 8 g | Sodium | 40 mg |

# SOUPE FROIDE
## à la coriandre

Pour 4 personnes. La coriandre est une herbe que l'on appelle aussi persil chinois. Tout comme le persil, elle est polyvalente et très aromatisée. Elle forme un couple parfait avec la tomate.

| | | |
|---|---|---|
| 2 | grosses tomates | |
| ½ | concombre | |
| 1 tasse | jus de tomate | 250 ml |
| ½ tasse | eau | 125 ml |
| 1 | oignon vert, haché | |
| ½ tasse | coriandre fraîche, hachée | 10 g |
| 1 c. à soupe | huile d'olive | 15 ml |
| | Sel et poivre de Cayenne au goût | |

## Préparation

• Couper les tomates et le concombre et les épépiner. Déposer dans le robot culinaire. Broyer.

• Ajouter le jus de tomate, l'eau, puis le reste des ingrédients. Assaisonner à votre goût.

• Garnir de quelques branches de coriandre fraîche. Servir très froid.

## Valeur nutritive par portion

| | | |
|---|---|---|
| Calories ..................................35 | Glucides ......................................10 g | Fibres alimentaires .....................2 g |
| Protéines ..............................2 g | Gras saturés .............................0,5 g | Sodium ...................................190 mg |

# STRACCIATELLA
## aux champignons

Pour 4 à 6 personnes. La soupe stracciatella est originaire d'Italie. Sa signification ? lambeaux ou guenilles, pour faire référence à l'allure que prennent les œufs au cours de la cuisson. Voici une version avec des champignons.

| | | |
|---|---|---|
| 6 tasses | bouillon de poulet | 1,5 l |
| 4 | œufs | |
| ½ tasse | parmesan frais, râpé | 50 g |
| 1 pincée | muscade | |
| 10 | champignons, hachés finement | |
| | Sel et poivre au goût | |

## Préparation

• Dans une casserole, porter le bouillon de poulet à ébullition.

• Pendant ce temps, battre les œufs dans un bol avec le parmesan et la muscade.

• Dans une poêle, faire revenir les champignons dans un peu d'huile d'olive quelques minutes à feu moyen.

• Verser graduellement le mélange aux œufs dans le bouillon, en prenant soin de remuer sans arrêt à l'aide d'un fouet. Vous allez voir les œufs prendre l'allure de lambeaux. Saler et poivrer au goût.

• Quand les œufs sont cuits, ajouter les champignons et servir.

## Valeur nutritive par portion

| | | |
|---|---|---|
| Calories................60 | Glucides................2 g | Fibres alimentaires................0 g |
| Protéines................9 g | Gras saturés................2,5 g | Sodium................650 mg |

# SOUPE
## à la salsa

Pour 4 personnes. Voici une façon originale de renouveler la salsa. Servir en entrée avec de bons nachos.

| | | |
|---|---|---|
| 2 tasses | tomates, coupées en dés | 300 g |
| 1 tasse | concombre, coupé en dés | 140 g |
| ½ tasse | oignon rouge, coupé en dés | 85 g |
| 1 tasse | maïs surgelé | 163 g |
| 1 tasse | jus de tomate | 250 ml |
| 2 tasses | eau | 500 ml |
| 2 c. à soupe | jus de citron frais | 30 ml |
| | Sel et poivre au goût | |

## Préparation

• Dans un bol, mélanger les ingrédients de la salsa : les tomates, le concombre, l'oignon rouge et le maïs.

• Dans un autre bol, mélanger le jus de tomate, l'eau et le jus de citron.

• Verser le liquide dans les bols de service et déposer une portion de salsa dans chacun. Servir bien froid avec des nachos.

## Valeur nutritive par portion

| | | |
|---|---|---|
| Calories.................................5 | Glucides .................................18 g | Fibres alimentaires .....................3 g |
| Protéines ...............................3 g | Gras saturés .............................0,1 g | Sodium ................................180 mg |

# SOUPE
## au melon

Pour 4 personnes. Une soupe sucrée pour les chaudes journées d'été. À servir sur la terrasse au petit-déjeuner ou comme dessert.

| | | |
|---|---|---|
| 1 | cantaloup | |
| 1 | melon miel | |
| 1 tasse | yogourt nature | 250 ml |
| ¼ de tasse | jus de citron frais | 60 ml |
| 2 c. à thé | sucre | 8 g |

### Préparation

• Déposer tous les ingrédients dans le robot culinaire. Réduire en purée.

• Garnir de boules de melon miel et de cantaloup.

• Servir bien froid.

### Valeur nutritive par portion

| | | |
|---|---|---|
| Calories ...................................5 | Glucides ....................................42 g | Fibres alimentaires .....................3 g |
| Protéines ...............................6 g | Gras saturés ...........................0,2 g | Sodium ..................................115 mg |

# SOUPE
## aux légumes d'été

Pour 4 à 6 personnes. Cette soupe peut se transformer au fil des semaines de l'été. N'hésitez pas à substituer un légume pour un autre plus mûr de votre potager. Vous pouvez remplacer le cresson par des feuilles de basilic.

| | | |
|---|---|---|
| 1 c. à soupe | huile d'olive | 15 ml |
| ½ | oignon espagnol, haché | |
| 2 | gousses d'ail, hachées | |
| 2 | tomates, coupées en dés | |
| 6 tasses | bouillon de légumes | 1,5 l |
| 1 | poivron vert, coupé en lanières | |

| | | |
|---|---|---|
| 8 | champignons, tranchés | |
| 30 | haricots verts, coupés en deux | |
| 2 tasses | brocoli, en bouquets | 186 g |
| 10 tiges | cresson frais | |
| | Sel et poivre au goût | |

## Préparation

• Dans une casserole, faire revenir l'oignon et l'ail dans l'huile.

• Ajouter les tomates. Poursuivre la cuisson 2 minutes à feu moyen.

• Incorporer le bouillon chaud et porter à ébullition.

• Ajouter le poivron, les champignons et les haricots. Réduire le feu et laisser mijoter à couvert 10 minutes.

• Ajouter le brocoli et le cresson. Continuer la cuisson 5 minutes.

• Saler et poivrer au goût.

## Valeur nutritive par portion

| | | |
|---|---|---|
| Calories ....................25 | Glucides ..........................10 g | Fibres alimentaires ......................3 g |
| Protéines ..........................4 g | Gras saturés ............................0,4 g | Sodium ..........................490 mg |

# SOUPE
## à la lime

Pour 4 personnes. Si le goût de la lime vous fait un peu frissonner, vous pouvez en réduire la quantité.

| | | |
|---|---|---|
| 4 tasses | bouillon de poulet | 1 l |
| ⅔ de tasse | poitrine de poulet | 300 g |
| 1 c. à thé | huile d'olive | 5 ml |
| 1 | oignon, haché | |
| 2 | limes | |

| | | |
|---|---|---|
| 1 c. à thé | pâte de tomate | 5 ml |
| ½ tasse | maïs surgelé | 81 g |
| 1 c. à soupe | coriandre fraîche | 1 g |
| 2 | tortillas | |
| | Sel et poivre au goût | |

## Préparation

- Dans une casserole, porter le bouillon de poulet à ébullition avant d'y plonger le poulet coupé en morceaux. Couvrir et laisser mijoter 10 minutes à feu moyen.

- Pendant ce temps, dans une poêle, faire dorer l'oignon dans l'huile d'olive. Ajouter l'oignon au bouillon.

- Incorporer le jus des limes, la pâte de tomate et le maïs. Poursuivre la cuisson 5 minutes. Saler et poivrer au goût.

- Au moment de servir, garnir de coriandre fraîche et de fines lanières de tortillas que vous aurez fait griller quelques minutes dans une poêle à feu moyen.

- La soupe à la lime se déguste chaude, tiède ou froide.

## Valeur nutritive par portion

| | | |
|---|---|---|
| Calories.................................30 | Glucides....................................15 g | Fibres alimentaires.......................2 g |
| Protéines...........................19 g | Gras saturés............................0,5 g | Sodium....................................430 mg |

# SOUPE
## tomate et aneth

Pour 4 personnes. Une belle recette pour profiter des tomates fraîches de la saison. Vous pouvez remplacer l'aneth par l'herbe fraîche de votre choix. Cette soupe pourrait devenir tomate et basilic ou tomate et origan, par exemple.

| | | |
|---|---|---|
| ¼ de tasse | beurre | 60 g |
| ½ | oignon espagnol, haché | |
| 3 | gousses d'ail, hachées | |
| 4 grosses | tomates, coupées en dés | 675 g |
| 3 tasses | bouillon de poulet | 750 ml |
| 1 c. à thé | sucre | 4 g |
| 2 c. à soupe | aneth frais | 2 g |
| | Sel et poivre au goût | |

## Préparation

• Dans une casserole, faire dorer l'oignon dans le beurre 10 minutes à feu moyen.

• Ajouter l'ail et poursuivre la cuisson 5 minutes.

• Incorporer les tomates, le bouillon de poulet et le sucre. Porter à ébullition, réduire le feu et laisser mijoter à couvert 20 minutes.

• Ajouter l'aneth frais. Poursuivre la cuisson 5 minutes.

• Passer au robot culinaire. Saler et poivrer.

## Valeur nutritive par portion

| | | |
|---|---|---|
| Calories .....................................110 | Glucides .....................................9 g | Fibres alimentaires .......................2 g |
| Protéines ....................................2 g | Gras saturés ...............................8 g | Sodium .................................380 mg |

# CRÈME
## de tomates

Pour 6 à 8 personnes. Vous trouverez facilement sur le marché des boîtes de tomates broyées avec de la purée. Vous n'aurez besoin que de cette boîte de tomates pour réaliser cette crème délicieuse.

| | | | | | | |
|---|---|---|---|---|---|---|
| ¼ de tasse | beurre | 60 g | | ⅓ de tasse | farine | 50 g |
| 1 | oignon, haché | | | 1 boîte | tomates broyées avec purée | 796 ml |
| 2 | gousses d'ail, hachées | | | 5 tasses | bouillon de poulet | 1,25 l |
| ½ tasse | poireau, hachéq | 47 g | | ½ tasse | crème champêtre (15 %) | 125 ml |
| 1 | carotte, coupée en dés | | | 1 pincée | sucre | |
| 1 branche | céleri, coupé en dés | | | | Sel et poivre au goût | |

## Préparation

• Dans une casserole, faire suer les légumes 5 minutes dans le beurre.

• Ajouter la farine et mélanger.

• Incorporer la boîte de tomates. Bien remuer.

• Ajouter le bouillon de poulet. Porter à ébullition et réduire le feu. Couvrir et laisser mijoter tout doucement 40 minutes.

• Passer au robot culinaire. Assaisonner et ajouter la crème.

• Décorer de tomates cerises coupées en deux.

## Valeur nutritive par portion

| | | | | | |
|---|---|---|---|---|---|
| Calories | 80 | Glucides | 15 g | Fibres alimentaires | 2 g |
| Protéines | 2 g | Gras saturés | 5 g | Sodium | 530 mg |

# SOUPE
## à l'indienne

Pour 4 à 6 personnes. En la garnissant de chutney à la mangue, vous donnerez à cette soupe une petite touche rafraîchissante.

| | | | | | | |
|---|---|---|---|---|---|---|
| 2 c. à soupe | beurre | 30 g | 1 c. à soupe | cari | 6 g |
| 1 | oignon, haché | | 5 tasses | bouillon de poulet | 1,25 l |
| 1 | carotte, coupée en dés | | ½ lb | poitrine de poulet | 225 g |
| 1 | gousse d'ail, hachée | | | Sel et poivre au goût | |
| 4 tranches | bacon, coupé en dés | 80 g | ¼ de tasse | chutney à la mangue | 60 ml |
| 3 c. à soupe | farine | 30 g | | | |

## Préparation

• Dans une casserole, faire revenir les légumes dans le beurre.

• Ajouter le bacon et faire suer 3 minutes à feu moyen.

• Saupoudrer de la farine et du cari. Remuer jusqu'à l'obtention d'une couleur marron.

• Incorporer le bouillon chaud et porter à ébullition.

• Ajouter le poulet coupé en dés et laisser mijoter à couvert 30 minutes. Saler et poivrer.

• Verser dans les bols de service et garnir de chutney à la mangue.

## Valeur nutritive par portion

| | | |
|---|---|---|
| Calories.....................................100 | Glucides ......................................9 g | Fibres alimentaires ......................1 g |
| Protéines ..........................11 g | Gras saturés ................................6 g | Sodium ....................................490 mg |

# GASPACHO
## aux amandes

Pour 2 à 4 personnes. Une belle recette pour donner une nouvelle allure au célèbre gaspacho. Si vous n'avez pas de vinaigre de xérès, vous pouvez utiliser un vinaigre blanc ou de cidre.

| | | |
|---|---|---|
| 3 tasses | pain blanc | 180 g |
| 1 tasse | amandes mondées | 150 g |
| 2 | gousses d'ail | |
| ¼ de tasse | huile d'olive | 60 ml |
| ½ tasse | raisins verts | 80 g |
| ⅛ de tasse | vinaigre de xérès | 30 ml |
| ½ tasse | eau | 125 ml |
| | Sel et poivre au goût | |

## Préparation

• Faire tremper le pain quelques minutes dans un bol d'eau froide. Égoutter le surplus d'eau tout en laissant le pain bien imbibé.

• Passer tous les ingrédients au robot culinaire, dont le pain. Saler et poivrer.

• Servir froid et décorer de quelques raisins.

## Valeur nutritive par portion

| | | |
|---|---|---|
| Calories .........................240 | Glucides ...................................22 g | Fibres alimentaires .....................3 g |
| Protéines ............................8 g | Gras saturés ...............................3 g | Sodium ................................200 mg |

# VELOURS
## de carottes et sorbet

Pour 4 personnes.

### Pour le velours

| | | |
|---|---|---|
| 2 c. à soupe | beurre | 30 g |
| 1 | oignon, haché | |
| 5 tasses | carottes, coupées en dés | 645 g |
| 5 tasses | bouillon de poulet | 1,25 l |
| ½ tasse | crème champêtre (15 %) | 125 ml |

### Pour le sorbet aux carottes

| | | |
|---|---|---|
| 1 tasse | purée de carottes | 250 ml |
| ⅓ de tasse | sucre | 65 g |
| ⅓ de tasse | eau | 80 ml |
| 1 pincée | thym (frais ou séché) | |
| 1 c. à soupe | jus de citron frais | 15 ml |
| 2 c. à soupe | jus d'orange frais | 30 ml |

## Préparation

• **Pour le velours** : dans une casserole, faire dorer l'oignon dans le beurre. Ajouter les carottes, puis le bouillon de poulet. Laisser mijoter à couvert 30 minutes. Passer au robot culinaire. Incorporer la crème champêtre. Saler et poivrer au goût. Laisser refroidir.

• **Pour le sorbet** : dans une petite casserole, porter la purée de carottes, le sucre et l'eau à ébullition avec une pincée de thym. Laisser refroidir totalement. Ajouter le jus de citron et le jus d'orange.

• Déposer dans un moule en une couche très mince et placer au congélateur. Racler les côtés du mélange avec une fourchette aux 15 minutes. On obtient un granité fait de cristaux au bout de 2 à 3 heures. Passer quelques secondes au robot culinaire avant de servir pour en faire un sorbet.

• Servir des petites boules de sorbet sur le velours de carottes et décorer de thym frais.

## Valeur nutritive par portion

| | | |
|---|---|---|
| Calories....................100 | Glucides.................................39 g | Fibres alimentaires.....................5 g |
| Protéines.........................3 g | Gras saturés..............................7 g | Sodium..............................660 mg |

# RÉCOLTE **D'AUTOMNE**

# SOUPES D'AUTOMNE

# SOUPE
## *épicée aux carottes*

Pour 4 personnes. Une soupe bien relevée pour se réchauffer avec l'arrivée des journées un peu plus froides.

| | | |
|---|---|---|
| 1 c. à soupe | huile d'olive | 15 ml |
| ½ | oignon espagnol, haché | |
| 1 | gousse d'ail, émincée | |
| 5 tasses | carottes, coupées en dés | 645 g |
| 1 | pomme de terre, coupée en dés | |
| 4 ½ tasses | bouillon de poulet | 1,125 l |

| | | |
|---|---|---|
| 1 c. à soupe | gingembre frais, râpé | 6 g |
| 1 c. à thé | cumin | 3 g |
| 1 pincée | poivre de Cayenne | |
| ½ tasse | crème champêtre 15% | 125 ml |
| | Sel et poivre au goût | |

## Préparation

• Dans un chaudron, à feu moyen, faire revenir l'oignon et l'ail dans l'huile d'olive 1 à 2 minutes.

• Ajouter, les carottes et la pomme de terre. Poursuivre la cuisson 2 minutes.

• Incorporer le bouillon de poulet, le gingembre, le cumin et le poivre de Cayenne. Porter à ébullition, réduire le feu et laisser mijoter à couvert une trentaine de minutes.

• Passer au robot culinaire. Ajouter la crème. Saler et poivrer au goût.

## Valeur nutritive par portion

| | | |
|---|---|---|
| Calories.....190 | Glucides.....23 g | Fibres alimentaires.....4 g |
| Protéines.....4 g | Gras saturés.....9 g | Sodium.....550 mg |

# SOUPE
## d'orzo

Pour 4 à 6 personnes. L'orzo est une petite pâte qui ressemble beaucoup à un grain de riz. Vous allez la trouver facilement à l'épicerie.

| | | | | | | |
|---|---|---|---|---|---|---|
| 1 c. à soupe | huile d'olive | 15 ml | | 1 tasse | courge au choix, coupée en dés | 215 g |
| ¼ de tasse | bacon ou pancetta | 44 g | | 6 tasses | bouillon de légumes | 1,5 ml |
| ½ | oignon espagnol, haché | | | ½ tasse | orzo | 95 g |
| 1 | gousse d'ail, émincée | | | ½ tasse | persil frais, haché | 30g |
| 1 | branche de céleri, coupée en dés | | | | Sel et poivre au goût | |
| 1 | carotte, coupée en dés | | | | | |
| 1 | pomme de terre, coupée en dés | | | | | |

## Préparation

• Dans un chaudron, à feu moyen, faire revenir le bacon ou la pancetta, l'oignon et l'ail dans l'huile d'olive 2 minutes, ou jusqu'à ce que le bacon (ou la pancetta) commence à se colorer. Ajouter le céleri et la carotte. Poursuivre la cuisson 2 à 3 minutes.

• Incorporer la pomme de terre, la courge et le bouillon de légumes. Couvrir et laisser mijoter une vingtaine de minutes.

• Ajouter l'orzo et le persil. Compléter la cuisson une dizaine de minutes. Saler et poivrer au goût.

## Valeur nutritive par portion

| | | |
|---|---|---|
| Calories..................160 | Glucides......................17 g | Fibres alimentaires.....................4 g |
| Protéines...................4 g | Gras saturés................8 g | Sodium................................230 mg |

# POTAGE
## au chou-fleur et aux poireaux

Pour 4 personnes. Si vous trouvez le potage trop épais, ajoutez un peu de crème, de lait ou d'eau.

| | | | | | | |
|---|---|---|---|---|---|---|
| 1 c. à soupe | huile d'olive | 15 ml | | 5 tasses | chou-fleur, en bouquets | 528 g |
| 2 | blancs de poireaux, émincés | | | ½ tasse | lentilles rouges | 100 g |
| 5 tasses | bouillon de légumes | 1,25 l | | ½ c. à thé | cari | 1 g |
| 1 tasse | courge au choix, coupée en dés | 215 g | | | Sel et poivre au goût | |

## Préparation

• Dans un chaudron, à feu moyen, faire tomber les blancs de poireaux dans l'huile d'olive 2 à 3 minutes. Mouiller avec 1 tasse du bouillon de légumes.

• Ajouter la courge, le chou-fleur, les lentilles et le cari. Poursuivre la cuisson 2 minutes.

• Incorporer le reste du bouillon de légumes. Porter à ébullition. Couvrir et laisser mijoter une trentaine de minutes.

• Passer au robot culinaire. Saler et poivrer au goût.

## Valeur nutritive par portion

| | | |
|---|---|---|
| Calories.....................180 | Glucides .........................27 g | Fibres alimentaires ......................6 g |
| Protéines .........................9 g | Gras saturés ..........................4 g | Sodium ...........................130 mg |

# POTAGE
## aux poireaux

Pour 4 à 6 personnes. Voici un potage qui nous rappelle que l'automne arrive. Si vous avez envie de rehausser la douceur du poireau, saupoudrez le potage de cheddar fort râpé.

| | | |
|---|---|---|
| 2 c. à soupe | beurre | 30 g |
| 1 | oignon, haché | |
| 2 | gousses d'ail, hachées | |
| 6 tasses | poireaux, hachés | 564 g |
| 2 | pommes de terre, coupées en dés | |
| 6 tasses | bouillon de légumes | 1,5 l |
| 2 | feuilles de laurier | |
| ½ tasse | persil frais, haché | 30 g |
| | Sel et poivre au goût | |

## Préparation

• Dans une casserole, faire dorer l'oignon, l'ail et les poireaux dans le beurre.

• Ajouter les pommes de terre, le bouillon chaud, puis le reste des ingrédients. Porter à ébullition, réduire le feu et laisser mijoter à couvert une vingtaine de minutes.

• Enlever les feuilles de laurier. Passer au robot culinaire. Saler et poivrer au goût.

• Décorer de persil ciselé.

## Valeur nutritive par portion

| | | |
|---|---|---|
| Calories .................................40 | Glucides ..........................22 g | Fibres alimentaires .......................4 g |
| Protéines ................................3 g | Gras saturés .....................2,5 g | Sodium .................................530 mg |

# SOUPE
## à la courge spaghetti

Pour 4 personnes. On a tendance à toujours utiliser la courge spaghetti nappée de sauce tomate. Vous verrez qu'elle est tout aussi savoureuse en soupe.

| | | | | | | |
|---|---|---|---|---|---|---|
| 2 ½ tasses | courge spaghetti, cuite | 530 g | 1 | pomme de terre, coupée en dés | |
| 2 c. à soupe | huile d'olive | 30 ml | 10 | champignons, coupés en tranches | |
| 1 | oignon, haché | | 5 tasses | bouillon de légumes | 1,25 l |
| 1 | gousse d'ail, hachée | | 1 c. à thé | cari | 3 g |
| 1 | carotte, coupée en dés | | | Sel et poivre au goût | |

## Préparation

• Couper la courge spaghetti en deux et la déposer sur une plaque à biscuits. Cuire au four à 400 °F (200 °C) une quarantaine de minutes. Une fois cuite, détacher les filaments de la courge en grattant à la fourchette. Réserver.

• Dans une casserole, faire revenir l'oignon et l'ail dans l'huile d'olive. Ajouter la carotte, la pomme de terre, puis le reste des ingrédients.

• Laisser mijoter à couvert une vingtaine de minutes puis incorporer la courge spaghetti cuite. Réchauffer. Saler et poivrer au goût.

• Servir avec des morceaux de pain baguette garnis de pesto.

## Valeur nutritive par portion

| | | |
|---|---|---|
| Calories ....................................70 | Glucides ....................................17 g | Fibres alimentaires ......................3 g |
| Protéines ....................................3 g | Gras saturés ................................1 g | Sodium ....................................500 mg |

# SOUPE
## aux nouilles croustillantes

Pour 4 personnes. Le bouillon de cette soupe est digne du paradis. Si vous n'avez pas d'échalote française, utilisez de l'oignon rouge.

| | | | | | | |
|---|---|---|---|---|---|---|
| 1 c. à soupe | huile d'olive | 15 ml | | 1 c. à thé | paprika | 3 g |
| 1 | échalote française, émincée | | | ½ c. à thé | gingembre moulu | 2 g |
| 1 | gousse d'ail, hachée | | | 1 | piment fort séché, haché | |
| 1 | poivron rouge, coupé en lanières | | | ⅓ de paquet | vermicelles de riz | 75 g |
| 1 boîte | lait de coco | 398 ml | | | huile végétale pour friture | |
| 2 ½ tasses | bouillon de poulet | 625 ml | | ⅓ de tasse | coriandre fraîche | 12 g |
| 2 | tomates, épépinées et coupées en dés | | | | Sel et poivre au goût | |

## Préparation

• Dans une casserole, faire dorer l'échalote et l'ail dans l'huile. Ajouter le poivron rouge, le lait de coco, le bouillon chaud puis les épices. Poursuivre la cuisson à couvert 15 minutes à feu moyen.

• Pendant ce temps, chauffer une bonne quantité d'huile végétale dans un wok ou une grande poêle. Faire frire les vermicelles de riz en petites quantités. Elles se contorsionneront sous la chaleur. Déposer sur un papier absorbant et réserver.

• Garnir chaque bol de soupe d'une poignée de vermicelles frits et de coriandre fraîche ciselée. Décorer de paprika. Saler et poivrer au goût. Servir aussitôt.

## Valeur nutritive par portion

| | | |
|---|---|---|
| Calories.....................40 | Glucides.....................30 g | Fibres alimentaires.....................4 g |
| Protéines.....................4 g | Gras saturés.....................1 g | Sodium.....................390 mg |

# VELOUTÉ
## de citrouille

Pour 4 personnes. Voici l'éternel potage à la citrouille sous un nouveau jour, avec l'ajout de lait de coco. Une friandise santé au lendemain de l'halloween.

| | | | | | | |
|---|---|---|---|---|---|---|
| 1 c. à soupe | huile d'olive | 15 ml | 5 tasses | citrouille, coupée en dés | 1 kg |
| 1 | oignon, haché | | 5 tasses | bouillon de légumes | 1,25 l |
| 1 | gousse d'ail, hachée | | ½ tasse | lait de coco | 125 ml |
| 1 | carotte, coupée en dés | | 1 c. à thé | curcuma | 3 g |
| 2 | pommes de terre, coupées en dés | | | Sel et poivre au goût | |

## Préparation

• Dans une casserole, faire dorer l'oignon et l'ail dans l'huile d'olive.

• Ajouter le reste des ingrédients, sauf le lait de coco et le curcuma. Amener à ébullition, réduire le feu et laisser mijoter à couvert une trentaine de minutes.

• Passer le mélange au robot culinaire. Incorporer le lait de coco. Réchauffer. Garnir de noix de coco et de curcuma. Saler et poivrer au goût. Servir.

## Valeur nutritive par portion

| | | |
|---|---|---|
| Calories.....................35 | Glucides.....................25 g | Fibres alimentaires.....................4 g |
| Protéines.....................4 g | Gras saturés.....................0,5 g | Sodium.....................520 mg |

# SOUPE
## au thon

Pour 4 à 6 personnes. On devrait penser plus souvent à mettre du thon dans nos soupes. C'est si bon !

| | | | | | | |
|---|---|---|---|---|---|---|
| 2 c. à soupe | huile d'olive | 30 ml | | ½ tasse | cheddar, râpé | 50 g |
| ¼ | oignon espagnol, coupé en lanières | | | 2 boîtes | thon entier en boîte | 266 g |
| ½ tasse | poireau, haché finement | 47 g | | 6 tasses | eau | 1,5 l |
| 2 | gousses d'ail, hachées | | | 2 c. à thé | basilic séché | 6 g |
| 1 boîte | tomates italiennes | 798 ml | | | Sel et poivre au goût | |

## Préparation

• Dans une casserole, faire sauter l'oignon et le poireau dans l'huile d'olive, jusqu'à ce qu'ils commencent à caraméliser. Ajouter l'ail et poursuivre la cuisson jusqu'à l'obtention d'une teinte brun foncé.

• Incorporer la boîte de tomates et le fromage cheddar. Laisser mijoter quelques minutes.

• Ajouter le thon. Poursuivre la cuisson 2 à 3 minutes à feu moyen.

• Incorporer l'eau et le basilic. Amener à ébullition, réduire le feu et laisser mijoter 5 minutes. Saler et poivrer au goût. Servir.

## Valeur nutritive par portion

| | | |
|---|---|---|
| Calories.............80 | Glucides.............7 g | Fibres alimentaires.............1 g |
| Protéines.............14 g | Gras saturés.............2,5 g | Sodium.............310 mg |

# POTAGE
## courge et ail

Pour 4 personnes. L'ail cuit au four donne un goût sublime à ce potage d'automne. Vous pouvez ajouter un morceau de poire pour le rendre un peu plus sucré.

| | | | | | | |
|---|---|---|---|---|---|---|
| 2 tasses | courge poivrée, cuite | 430 g | | 4 tasses | bouillon de poulet | 1 l |
| 4 | gousses d'ail | | | 1 c. à thé | cari | 3 g |
| 2 c. à soupe | huile d'olive | 30 ml | | ½ c. à thé | coriandre moulue | 1 g |
| 1 | oignon, haché | | | | Sel et poivre au goût | |
| 1 | pomme de terre, coupée en dés | | | | | |

## Préparation

• Couper la courge poivrée en deux. Enlever les pépins. Déposer sur une plaque à biscuits, la chair vers le haut, et faire cuire au four à 450 °F (230 °C) une trentaine de minutes. Envelopper les gousses d'ail avec leur pelure dans du papier d'aluminium et les faire cuire au même moment que la courge.

• Pendant ce temps, dans une casserole, faire revenir l'oignon dans l'huile d'olive. Ajouter la pomme de terre, le bouillon chaud et les épices. Laisser mijoter à couvert une vingtaine de minutes en incorporant la courge et l'ail pelé au cours de la cuisson.

• Passer au robot culinaire. Saler et poivrer au goût. Garnir la soupe de graines de tournesol grillées et servir.

## Valeur nutritive par portion

| | | |
|---|---|---|
| Calories ..................................60 | Glucides ..................................10 g | Fibres alimentaires ......................2 g |
| Protéines ..................................2 g | Gras saturés ..............................1 g | Sodium ..................................370 mg |

# POTAGE
## courge et pomme

Pour 4 personnes. Le goût sucré de la pomme est purement divin dans ce potage. Vous voudrez certainement le refaire encore et encore.

| | | |
|---|---|---|
| 2 c. à soupe | huile d'olive | 30 ml |
| 2 | échalotes françaises, hachées | |
| 2 | gousses d'ail, hachées | |
| 1 | pomme de terre, coupée en dés | |
| 4 tasses | courge buttercup, coupée en dés | 860 g |
| 1 | pomme, coupée en dés | |
| 4 tasses | bouillon de légumes | 1 l |
| | Sel et poivre au goût | |

## Préparation

- Dans une casserole, faire dorer les échalotes françaises et l'ail dans l'huile d'olive.

- Après quelques minutes, ajouter la pomme de terre, la courge, la pomme et le bouillon chaud. Porter à ébullition, réduire le feu et laisser mijoter à couvert une trentaine de minutes.

- Passer au robot culinaire jusqu'à l'obtention d'une texture très lisse. Saler et poivrer au goût. Servir.

## Valeur nutritive par portion

| | | |
|---|---|---|
| Calories .............................60 | Glucides ...................................21 g | Fibres alimentaires ......................3 g |
| Protéines .............................4 g | Gras saturés ...............................1 g | Sodium ..................................380 mg |

# POTAGE
## courge et orange

Pour 4 personnes. Le riz remplace de façon très originale la pomme de terre dans ce potage, avec toute la subtilité du goût du riz basmati.

| | | |
|---|---|---|
| 2 c. à soupe | huile d'olive | 30 ml |
| 1 | oignon, haché | |
| 1 | gousse d'ail, hachée | |
| 3 tasses | courge musquée, coupée en dés | 645 g |
| ⅛ de tasse | riz basmati | 24 g |
| 4 tasses | bouillon de légumes | 1 l |
| ½ tasse | jus d'orange | 125 ml |
| ½ c. à thé | cumin moulu | 1 g |
| ½ c. à thé | coriandre moulue | 1 g |
| | Sel et poivre au goût | |

## Préparation

• Dans une casserole, faire revenir l'oignon et l'ail dans l'huile d'olive quelques minutes.

• Ajouter la courge, le riz, le bouillon, le jus d'orange et les épices. Porter à ébullition avant de laisser mijoter à couvert 30 minutes.

• Passer au robot culinaire. Servir dans des tasses avec des tranches d'orange. Saler et poivrer au goût.

## Valeur nutritive par portion

| | | |
|---|---|---|
| Calories ..................................60 | Glucides ..................................14 g | Fibres alimentaires ......................1 g |
| Protéines ...................................2 g | Gras saturés ...............................1 g | Sodium ..................................370 mg |

# SOUPE
## poulet et pesto

Pour 4 personnes. Voici une recette de soupe qui peut très bien devenir l'objet principal de votre repas.

| | | |
|---|---|---|
| ¼ lb | pâtes penne | 100 g |
| 4 tasses | bouillon de poulet | 1 l |
| 2 c. à soupe | pesto | 30 ml |
| 1 tasse | poulet cuit, coupé en morceaux | 150 g |
| | Sel et poivre au goût | |
| | Parmesan frais au goût | |

## Préparation

• Dans une casserole, faire cuire les pâtes selon les indications figurant sur l'emballage. Égoutter et réserver.

• Pendant ce temps, dans une autre casserole, mélanger le bouillon, le pesto et le poulet. Saler et poivrer au goût. Laisser mijoter une dizaine de minutes.

• Ajouter les pâtes cuites au bouillon. Garnir de parmesan et servir.

## Valeur nutritive par portion

| | | |
|---|---|---|
| Calories ....................................50 | Glucides ...............................19 g | Fibres alimentaires ......................1 g |
| Protéines ................................15 g | Gras saturés .............................1 g | Sodium ................................420 mg |

# SOUPE
## aux légumes de terre

Pour 4 personnes. Le choix des légumes donne un goût très sucré à cette soupe. Et comme ils cuiront longtemps, ils deviendront fondants dans la bouche.

| | | | | | | |
|---|---|---|---|---|---|---|
| 2 c. à soupe | huile d'olive | 30 ml | | ¼ de tasse | pois verts cassés, secs | 52 g |
| 1 | oignon, haché | | | 6 tasses | bouillon de poulet | 1,5 l |
| 2 | gousses d'ail, hachées | | | ¼ de tasse | persil frais, haché | 15 g |
| 1 tasse | navet, coupé en dés | 137 g | | 1 pincée | sarriette séchée | |
| 1 tasse | patate douce, coupée en dés | 140 g | | | Sel et poivre au goût | |
| 1 tasse | carottes, coupées en dés | 129 g | | | | |

## Préparation

- Dans une casserole, faire revenir l'oignon et l'ail dans l'huile d'olive.

- Ajouter le navet, la patate douce et la carotte, puis le reste des ingrédients. Porter la soupe à ébullition et réduire le feu.

- Laisser mijoter à couvert une bonne cinquantaine de minutes, le temps que les pois verts cassés soient bien cuits. Saler et poivrer au goût.

## Valeur nutritive par portion

| | | |
|---|---|---|
| Calories ..................................60 | Glucides ...............................16 g | Fibres alimentaires ......................3 g |
| Protéines ................................3 g | Gras saturés ..............................1 g | Sodium ...............................630 mg |

# SOUPE
## d'agneau aux lentilles

Pour 4 à 6 personnes. Pour les amateurs d'agneau, les lentilles se marient parfaitement à cette viande. Plus longtemps vous la ferez mijoter, plus tendre elle deviendra.

| | | | | | | |
|---|---|---|---|---|---|---|
| 2 c. à soupe | huile d'olive | 30 ml | 8 tasses | eau | 2 l |
| 1 | oignon, haché | | 1 tasse | lentilles vertes, sèches | 200 g |
| 1 | gousse d'ail, hachée | | 1 | carotte, coupée en dés | |
| 1 lb | agneau, coupé en dés | 450 g | 1 branche | céleri, coupé en dés | |
| 1 c. à thé | cari | 3 g | 2 | pommes de terre, coupées en dés | |
| 1 c. à thé | coriandre moulue | 3 g | | | |

## Préparation

• Dans une casserole, chauffer l'huile d'olive à feu élevé pour faire dorer l'oignon, l'ail, puis l'agneau, le cari et la coriandre.

• Une fois la viande saisie, ajouter l'eau, les lentilles rincées, puis le reste des ingrédients. Laisser mijoter à couvert 50 minutes.

• Saler et poivrer au goût.

## Valeur nutritive par portion

| | | |
|---|---|---|
| Calories .....................80 | Glucides .....................28 g | Fibres alimentaires .....................5 g |
| Protéines .....................26 g | Gras saturés .....................2 g | Sodium .....................75 mg |

# SOUPE
## au chou

Pour 4 personnes. La soupe au chou me rappelle toujours le film de Louis de Funès et les bruits étranges de Jacques Villeret. La simplicité est dans la soupe, et le bon goût aussi !

| | | |
|---|---|---|
| 1 c. à soupe | huile d'olive | 15 ml |
| 1 | oignon, haché | |
| 2 | pommes de terre, coupées en dés | |
| 1 branche | céleri, coupé en dés | |
| 5 tasses | bouillon de poulet | 1,25 l |
| 5 tasses | chou, coupé en lanières | 470 g |
| ¼ de tasse | persil frais, haché | 15 g |
| 1 | feuille de laurier | |
| | Sel et poivre au goût | |

## Préparation

• Dans une casserole, faire dorer l'oignon dans l'huile d'olive. Ajouter les pommes de terre et le céleri. Poursuivre la cuisson quelques minutes.

• Incorporer le bouillon chaud et le chou. Laisser mijoter à couvert une bonne heure pour que les saveurs se mélangent.

• Plonger le persil dans la soupe quelques minutes avant de servir. Saler et poivrer au goût.

## Valeur nutritive par portion

| | | |
|---|---|---|
| Calories ....................................35 | Glucides .....................................18 g | Fibres alimentaires ......................3 g |
| Protéines ...................................3 g | Gras saturés .............................0,5 g | Sodium ..................................500 mg |

# SOUPE
## aux choux de Bruxelles

Pour 4 à 6 personnes. L'amertume de ces petits choux de Belgique se marie à merveille au goût sucré de la courge.

| | | |
|---|---|---|
| 1 c. à soupe | huile d'olive | 15 ml |
| 1 | oignon, haché | |
| 2 | gousses d'ail, hachées | |
| 2 | carottes, coupées en dés | |
| 2 tasses | courge au choix, coupée en dés | 430 g |
| 6 tasses | bouillon de poulet | 1,5 l |
| 20 | choux de Bruxelles, coupés en deux | |
| 1 c. à thé | cari | 3 g |
| | Sel et poivre au goût | |

## Préparation

• Dans une casserole, faire revenir l'oignon et l'ail dans l'huile d'olive.

• Ajouter les carottes et la courge. Poursuivre la cuisson 2 à 3 minutes.

• Incorporer le bouillon chaud, puis le reste des ingrédients. Amener à ébullition, puis laisser mijoter à couvert 25 minutes, ou jusqu'à ce que la cuisson des choux de Bruxelles soit à votre goût.

• Saler et poivrer au goût. Servir.

## Valeur nutritive par portion

| | | |
|---|---|---|
| Calories....................25 | Glucides ....................11 g | Fibres alimentaires ....................4 g |
| Protéines ....................3 g | Gras saturés ....................0,4 g | Sodium ....................510 mg |

# SOUPE
## aux calmars

Pour 4 personnes. Le calmar est souvent perçu comme un fruit de mer coriace. En réalisant cette savoureuse recette, vous constaterez à quel point le calmar devient tendre au fil de la cuisson.

| | | | | | | |
|---|---|---|---|---|---|---|
| 2 c. à soupe | huile d'olive | 30 ml | 1 c. à thé | basilic séché | 2 g |
| 2 | oignons, hachés | | 1 c. à soupe | persil frais, haché | 4 g |
| 2 | gousses d'ail, hachées | | 6 tasses | bouillon de légumes | 1,5 l |
| 1 | poivron rouge, haché | | 2 c. à thé | sauce de poisson | 10 ml |
| 1 petit | piment fort, séché | | 1 ½ c. à soupe | sambuca ou Pernod (ou 125 ml de vin blanc) | 23 ml |
| ⅔ lb | calmars surgelés, en rondelles | 300 g | | Sel et poivre au goût | |
| 1 boîte | tomates entières | 798 ml | | | |

## Préparation

• Dans une casserole, faire revenir l'oignon dans l'huile d'olive, puis ajouter l'ail, le poivron, le piment fort et les calmars. Poursuivre la cuisson à feu élevé 3 à 4 minutes en remuant constamment.

• Incorporer la boîte de tomates, le basilic et le persil. Laisser mijoter environ 15 minutes.

• Ajouter le bouillon de légumes, la sauce de poisson et l'alcool. Amener à ébullition, réduire le feu et poursuivre la cuisson à couvert 45 à 50 minutes à feu doux. Saler et poivrer au goût.

## Valeur nutritive par portion

| | | | | | |
|---|---|---|---|---|---|
| Calories | 80 | Glucides | 14 g | Fibres alimentaires | 3 g |
| Protéines | 14 g | Gras saturés | 1,5 g | Sodium | 800 mg |

# SOUPE
## aux haricots romains

Pour 4 personnes. Les enfants adorent ce mélange de saveurs. Si vous ne trouvez pas de haricots romains, choisissez des haricots blancs ou des haricots mélangés.

| | | | | | | |
|---|---|---|---|---|---|---|
| 2 c. à soupe | huile d'olive | 30 ml | | 1 | courgette, coupée en dés | |
| 1 | oignon, haché | | | 1 | tomate, coupée en dés | |
| 2 | gousses d'ail, hachées | | | 1 boîte | haricots romains | 540 ml |
| ⅓ de tasse | riz basmati | 65 g | | 1 c. à thé | cerfeuil séché | 3 g |
| 5 tasses | bouillon de légumes | 1,25 l | | | Sel et poivre au goût | |

## Préparation

• Dans une casserole, faire dorer l'oignon et l'ail dans l'huile d'olive.

• Ajouter le riz basmati, bien l'enrober d'huile, et poursuivre la cuisson 2 à 3 minutes à feu moyen.

• Incorporer le bouillon chaud, puis le reste des ingrédients. Laisser mijoter à couvert jusqu'à ce que le riz soit cuit, une vingtaine de minutes.

• Saler et poivrer au goût. Servir.

## Valeur nutritive par portion

| | | | | | |
|---|---|---|---|---|---|
| Calories | 70 | Glucides | 34 g | Fibres alimentaires | 11 g |
| Protéines | 11 g | Gras saturés | 1 g | Sodium | 710 mg |

# SOUPE
## au fromage

Pour 4 personnes. Si vous aimez beaucoup la fondue au fromage, voici une recette de soupe qui s'y apparente. Servir avec des croûtons à l'ail maison.

| | | | | | | |
|---|---|---|---|---|---|---|
| 2 c. à soupe | beurre | 30 g | | 2 tasses | bouillon de légumes | 500 ml |
| 1 | oignon, haché | | | 1 tasse | cheddar fort, râpé | 100 g |
| 1 | gousse d'ail, hachée | | | 1 tasse | gouda, râpé | 100 g |
| 2 c. à soupe | farine | 20 g | | ½ c. à thé | paprika | 1 g |
| 1 tasse | lait | 250 ml | | 1 pincée | cumin moulu | |
| 1 tasse | vin blanc | 250 ml | | | Sel et poivre au goût | |

## Préparation

• Dans une casserole, faire dorer l'oignon et l'ail dans le beurre à feu doux 3 à 4 minutes.

• Ajouter la farine, bien remuer et verser graduellement le lait chaud. Laisser épaissir le mélange avant d'incorporer le vin, le bouillon chaud et les fromages.

• Faire fondre les fromages et bien réchauffer, sans ne jamais laisser bouillir.

• Ajouter le paprika et le cumin. Saler et poivrer au goût. Servir en petites portions, avec des croûtons à l'ail.

## Valeur nutritive par portion

| | | |
|---|---|---|
| Calories ........................200 | Glucides ........................10 g | Fibres alimentaires .......................0 g |
| Protéines .........................16 g | Gras saturés ............................14 g | Sodium ................................620 mg |

# SOUPE
## portugaise

Pour 4 personnes. Communément appelée Caldo verde, cette soupe portugaise connaît plusieurs variantes. Parmi les ingrédients principaux : le chou et le chouriçou.

| | | | | | | |
|---|---|---|---|---|---|---|
| 2 c. à soupe | huile d'olive | 30 ml | 6 tasses | eau | 1,5 l |
| 1 | oignon, haché | | 8 feuilles | chou frisé, coupé en lanières | |
| 2 | gousses d'ail, hachées | | 2 | saucisses chouriçou ou saucisses piquantes | 300 g |
| 2 | pommes de terre, coupées en dés | | | | |
| 2 c. à soupe | pâte de tomate | 30 ml | | Sel et poivre au goût | |

## Préparation

• Dans une casserole, faire revenir l'oignon et l'ail dans l'huile d'olive.

• Ajouter les pommes de terre et la pâte de tomate quelques minutes avant d'incorporer l'eau. Laisser mijoter à couvert 30 minutes. Écraser à la fourchette ou passer au robot culinaire.

• Dans une poêle, faire rôtir les rondelles de chouriçou ou de saucisses. Ajouter à la soupe réduite en purée, en même temps que le chou coupé en lanières.

• Poursuivre la cuisson une quinzaine de minutes, ou jusqu'à ce que le chou soit cuit mais encore légèrement croquant sous la dent. Saler et poivrer.

## Valeur nutritive par portion

| | | |
|---|---|---|
| Calories..................320 | Glucides.....................16 g | Fibres alimentaires.....................3 g |
| Protéines..................21 g | Gras saturés.....................12 g | Sodium.....................950 mg |

# SOUPE
## d'automne aux moules

Pour 4 personnes. Les moules nous permettent une cuisine bon marché et nous assurent un bouillon savoureux.

| | | |
|---|---|---|
| 2 c. à soupe | pesto | 30 ml |
| ¼ | oignon espagnol, haché | |
| 1 | gousse d'ail, hachée | |
| ½ | poivron rouge, coupé en lanières | |
| ½ branche | céleri, coupé en dés | |
| 1 tasse | vin blanc | 250 ml |

| | | |
|---|---|---|
| 3 tasses | eau | 750 ml |
| 2 c. à soupe | pâte de tomate | 30 ml |
| 2 lb | moules, lavées et brossées | 900 g |
| 1 pincée | poivre de Cayenne | |
| ¼ de tasse | crème champêtre (15 %) | 60 ml |
| ½ tasse | coriandre fraîche, ciselée | 8 g |

## Préparation

• Dans une casserole, faire sauter l'oignon et l'ail dans le pesto. Ajouter le poivron et le céleri. Poursuivre la cuisson 2 minutes à feu moyen.

• Incorporer le vin blanc, l'eau et la pâte de tomate. Porter à ébullition, ajouter les moules et réduire le feu. Cuire à couvert quelques minutes, ou jusqu'à ce que les moules soient ouvertes. Sortir les moules de leur coquillage et les remettre dans la soupe. Jeter celles qui sont restées fermées. Il est possible de garder quelques moules dans leur coquillage pour la décoration dans les bols de service.

• Assaisonner de poivre de Cayenne. Incorporer la crème champêtre. Réchauffer la soupe. Garnir de coriandre fraîche et servir aussitôt.

## Valeur nutritive par portion

| | | |
|---|---|---|
| Calories ........................70 | Glucides ...........................9 g | Fibres alimentaires ......................1 g |
| Protéines ........................10 g | Gras saturés .............................2 g | Sodium ..................................370 mg |

# MINESTRONE

Pour 4 personnes.

| | | | | | | |
|---|---|---|---|---|---|---|
| 1 c. à soupe | huile d'olive | 15 ml | | 1 boîte | haricots rouges | 540 ml |
| 1 | oignon, haché | | | ¼ de tasse | coquillettes ou autres petites pâtes | 48 g |
| 1 | gousse d'ail, hachée | | | ½ tasse | parmesan frais, râpé | 50 g |
| 1 | carotte, coupée en dés | | | 1 | courgette, coupée en dés | |
| 1 branche | céleri, coupé en dés | | | 2 feuilles | chou frisé, coupé en lanières | |
| 1 | pomme de terre, coupée en dés | | | 1 c. à thé | herbes de Provence | 3 g |
| ½ tasse | navet, coupé en dés | 69 g | | 1 pincée | thym | |
| 6 tasses | bouillon de légumes | 1,5 l | | 1 | feuille de laurier | |
| 2 c. à soupe | pâte de tomate | 30 ml | | | | |

## Préparation

• Dans une casserole, faire revenir l'oignon et l'ail dans l'huile d'olive quelques minutes.

• Ajouter la carotte, le céleri, la pomme de terre et le navet. Poursuivre la cuisson 2 à 3 minutes à feu moyen.

• Incorporer le bouillon chaud, la pâte de tomate, les haricots rouges, les herbes de Provence, le thym et la feuille de laurier. Porter à ébullition, réduire le feu et laisser mijoter à couvert 15 minutes.

• Ajouter les coquillettes, le parmesan, la courgette et le chou. Laisser mijoter un autre 15 minutes.

• Saler et poivrer au goût. Garnir de parmesan frais. Servir.

## Valeur nutritive par portion

| | | | | | |
|---|---|---|---|---|---|
| Calories | 70 | Glucides | 42 g | Fibres alimentaires | 12 g |
| Protéines | 16 g | Gras saturés | 3 g | Sodium | 1320 mg |

# SOUPE
## de nouilles aux œufs

Pour 4 personnes. Plus longtemps vous ferez mijoter cette soupe, plus fondantes deviendront les nouilles aux œufs.

| | | |
|---|---|---|
| 1 c. à soupe | huile d'olive | 15 ml |
| ½ | oignon, haché | |
| 1 | gousse d'ail, hachée | |
| ½ | poivron rouge, coupé en lanières | |
| ½ | poivron vert, coupé en lanières | |
| 6 tasses | bouillon de poulet | 1,5 l |
| 1 c. à thé | huile de sésame | 5 ml |

| | | |
|---|---|---|
| 1 c. à soupe | sauce soya | 15 ml |
| ¼ lb | nouilles aux œufs | 100 g |
| 2 tasses | bébés bok choy | 186 g |
| 1 | courgette, coupée en julienne | |
| 3 | oignons verts, hachés | |
| | Sel et poivre au goût | |

## Préparation

• Dans une casserole, faire dorer l'oignon et l'ail dans l'huile d'olive quelques minutes à feu moyen. Ajouter le poivron rouge et le poivron vert, le temps de les attendrir.

• Incorporer le bouillon chaud, l'huile de sésame et la sauce soya. Laisser mijoter 5 à 7 minutes.

• Ajouter successivement les nouilles aux œufs, le bok choy, la courgette et les oignons verts. Laisser mijoter à couvert jusqu'à ce que les nouilles soient cuites. Saler et poivrer au goût. Servir.

## Valeur nutritive par portion

| | | |
|---|---|---|
| Calories....................60 | Glucides .....................25 g | Fibres alimentaires ....................3 g |
| Protéines ....................6 g | Gras saturés ....................1 g | Sodium ....................810 mg |

# BOUILLABAISSE

Pour 4 personnes. La bouillabaisse est une recette de pêcheurs de Marseille. Originellement, on la cuisinait avec plusieurs espèces de poissons de roche. Je vous propose une version aux fruits de mer.

| | | | | | | |
|---|---|---|---|---|---|---|
| 1 c. à soupe | huile d'olive | 15 ml | ¼ de tasse | persil frais, haché | 15 g |
| 1 | oignon, haché | | 1 | feuille de laurier | |
| 1 tasse | poireau, haché | 94 g | 1 lb | poisson blanc au choix, coupé en morceaux | 450 g |
| 2 | gousses d'ail, hachées | | 15 petits | pétoncles | |
| 2 | tomates, coupées en dés | | 10 grosses | crevettes | |
| 6 tasses | fumet de poisson (voir section des bouillons) | 1,5 l | 10 | moules | |
| 2 | pommes de terre, coupées en dés | | | Sel et poivre au goût | |
| 1 pincée | safran | | | | |

## Préparation

• Dans une casserole, faire revenir l'oignon, le poireau et l'ail dans l'huile d'olive.

• Pendant ce temps, plonger les tomates 1 minute dans l'eau bouillante avant de les peler, de les épépiner et de les couper en dés.

• Verser le fumet de poisson sur l'oignon, le poireau et l'ail. Ajouter les tomates, les pommes de terre, le safran, le persil et la feuille de laurier. Laisser mijoter à couvert 15 à 20 minutes.

• Incorporer le poisson et les fruits de mer. Continuer la cuisson quelques minutes. Verser dans les bols.

Servir accompagné de rouille. La rouille est une sauce au piment rouge faite à la manière d'une mayonnaise. Broyer au robot culinaire 1 petit piment fort, 1 gousse d'ail, 1 tranche de pain trempé, 1 jaune d'oeuf, 1 c. à soupe de fumet de poisson et 1 pincée de safran. Ajouter en filet ¼ de tasse (60 ml) d'huile d'olive. Saler et poivrer au goût.

## Valeur nutritive par portion

| | | | | | |
|---|---|---|---|---|---|
| Calories | 70 | Glucides | 25 g | Fibres alimentaires | 3 g |
| Protéines | 43 g | Gras saturés | 1,5 g | Sodium | 340 mg |

# SOUPE
## *de pois chiches et épinards*

Pour 4 personnes. Le pain sert à faire épaissir cette soupe. Si le cœur vous en dit, vous pouvez toujours laisser tremper des pois chiches secs toute une nuit pour concocter cette soupe. Le temps de cuisson sera plus long.

| | | | | | | |
|---|---|---|---|---|---|---|
| 1 c. à soupe | huile d'olive | 15 ml | | 4 tasses | bouillon de poulet | 1 l |
| 1 | oignon, haché | | | 1 boîte | pois chiches | 540 ml |
| 1 | gousse d'ail, hachée | | | 15 | feuilles d'épinards | |
| 1 tranche | pain de blé entier | | | 1 c. à thé | paprika | 3 g |
| 1 | courgette, coupée en dés | | | | Sel et poivre au goût | |

## Préparation

• Dans une casserole, faire revenir l'oignon et l'ail dans l'huile d'olive.

• Ajouter la tranche de pain coupée en petits morceaux et la courgette. Poursuivre la cuisson 1 à 2 minutes à feu moyen.

• Incorporer le bouillon chaud et les pois chiches. Laisser mijoter à couvert 15 minutes.

• Laisser tomber les feuilles d'épinards avec les assaisonnements dans le bouillon chaud. Servir après quelques minutes.

## Valeur nutritive par portion

| | | |
|---|---|---|
| Calories.....................50 | Glucides....................41 g | Fibres alimentaires.................8 g |
| Protéines..................10 g | Gras saturés..................1 g | Sodium..................850 mg |

# SOUPE
## aux légumes d'automne

Pour 4 personnes. Soupe dérivée de la célèbre ratatouille d'automne.

| | | | | | | |
|---|---|---|---|---|---|---|
| 2 tasses | aubergine | 173 g | | 2 tasses | eau | 500 ml |
| 1 | oignon | | | 2 | tomates, coupées en dés | |
| 1 | courgette | | | 1 | feuille de laurier | |
| 1 | carotte | | | 1 c. à thé | herbes de Provence | 3 g |
| 1 c. à soupe | huile d'olive | 15 ml | | 1 pincée | sucre | |
| 1 | gousse d'ail, hachée | | | | Sel et poivre au goût | |
| 1 boîte | tomates italiennes | 398 ml | | | | |

## Préparation

• Couper l'aubergine en gros morceaux et la saupoudrer de sel. Laisser dégorger une vingtaine de minutes. Rincer et éponger.

• Couper l'oignon, la courgette et la carotte en gros morceaux.

• Dans une casserole, faire dorer l'ail et l'oignon dans l'huile.

• Ajouter l'aubergine, la courgette et la carotte. Poursuivre la cuisson 2 minutes à feu moyen.

• Incorporer la boîte de tomates, l'eau, les tomates puis le reste des ingrédients. Laisser mijoter à couvert 20 minutes, ou jusqu'à ce que la cuisson des légumes soit à votre goût. Saler et poivrer au goût.

## Valeur nutritive par portion

| | | |
|---|---|---|
| Calories....................35 | Glucides .....................14 g | Fibres alimentaires ......................4 g |
| Protéines ...........................3 g | Gras saturés ............................0,5 g | Sodium ......................140 mg |

# SOUPE
## au poisson et aux lentilles

Pour 4 personnes. Vous pouvez choisir la morue, l'aiglefin ou le vivaneau pour réaliser cette recette. Optez pour le poisson le plus frais que vous trouverez sur le marché.

| | | | | | | |
|---|---|---|---|---|---|---|
| 1 c. à soupe | huile d'olive | 15 ml | | 2 | feuilles de laurier | |
| 2 tranches | bacon, coupé en dés | 40 g | | ½ c. à thé | tabasco | 2,5 ml |
| 1 | oignon, haché | | | ½ lb | poisson blanc au choix, coupé en morceaux | 225 g |
| 1 | poivron rouge ou jaune, coupé en dés | | | | Sel et poivre au goût | |
| 1 tasse | lentilles vertes, sèches | 200 g | | | | |
| 5 tasses | eau | 1,25 l | | | | |

## Préparation

- Dans une casserole, faire revenir le bacon dans l'huile d'olive. Ajouter l'oignon et poursuivre la cuisson jusqu'à ce qu'il commence à dorer.

- Ajouter le poivron et les lentilles. Poursuivre la cuisson 3 minutes à feu moyen.

- Incorporer l'eau, les feuilles de laurier et le tabasco. Amener à ébullition, réduire le feu et laisser mijoter à couvert 20 minutes.

- Ajouter le poisson et poursuivre la cuisson 20 minutes supplémentaires. Saler et poivrer au goût. Servir.

## Valeur nutritive par portion

| | | | | | |
|---|---|---|---|---|---|
| Calories | 90 | Glucides | 33 g | Fibres alimentaires | 6 g |
| Protéines | 27 g | Gras saturés | 3,5 g | Sodium | 130 mg |

# POTAGE
## de céleri-rave

Pour 4 à 6 personnes. On passe souvent devant le céleri-rave au supermarché avec une moue de dédain. Il n'est pas très beau et on ne sait pas trop quoi en faire. Son goût est pourtant très raffiné. En voici la preuve.

| 2 c. à soupe | beurre | 30 g |
|---|---|---|
| ½ | oignon espagnol, haché | |
| 2 | pommes de terre, coupées en dés | |
| 5 tasses | céleri-rave (environ 2 céleris-raves) | 824 g |
| 6 tasses | bouillon de légumes | 1,5 l |
| | Sel et poivre au goût | |

## Préparation

• Dans une casserole, faire doucement dorer l'oignon dans le beurre à feu moyen.

• Ajouter les pommes de terre et le céleri-rave pelé et coupé en dés. Remuer 1 à 2 minutes.

• Incorporer le bouillon chaud. Porter à ébullition, réduire le feu et laisser mijoter à couvert 30 minutes.

• Passer au robot culinaire. Saler et poivrer au goût.

## Valeur nutritive par portion

| | | |
|---|---|---|
| Calories .....................40 | Glucides ........................20 g | Fibres alimentaires ......................3 g |
| Protéines .........................3 g | Gras saturés ............................2,5 g | Sodium ..................................640 mg |

# CRÈME
## de lentilles

Pour 4 personnes. Une recette simple comme bonjour. L'utilisation de lentilles en boîte rend la préparation de cette soupe encore plus facile.

| | | | | | | |
|---|---|---|---|---|---|---|
| 1 c. à soupe | huile d'olive | 15 ml | | 1 | pomme de terre, coupée en dés | |
| 1 | oignon, haché | | | 4 tasses | eau | 1 l |
| 1 | gousse d'ail, hachée | | | 1 boîte | lentilles en boîte | 540 ml |
| 1 | carotte, coupée en dés | | | 1 c. à thé | cari | 3 g |
| ½ tasse | fenouil, coupé en dés | 45 g | | | Sel et poivre au goût | |

## Préparation

• Dans une casserole, faire revenir l'oignon et l'ail dans l'huile d'olive.

• Ajouter la carotte, le fenouil et la pomme de terre. Poursuivre la cuisson 1 à 2 minutes à feu moyen.

• Incorporer l'eau, les lentilles et le cari. Couvrir et laisser mijoter 15 à 20 minutes.

• Passer au robot culinaire. Saler et poivrer au goût. Garnir d'un soupçon de crème sûre.

## Valeur nutritive par portion

| | | | | | |
|---|---|---|---|---|---|
| Calories | 35 | Glucides | 26 g | Fibres alimentaires | 5 g |
| Protéines | 9 g | Gras saturés | 0,5 g | Sodium | 220 mg |

# CHAUDRÉE
## aux deux fromages

Pour 4 à 6 personnes.

| | | | | | | |
|---|---|---|---|---|---|---|
| 3 c. à soupe | beurre | 45 g | 5 tasses | eau | 1,25 l |
| 4 tranches | bacon, coupé en dés | 80 g | 2 | pommes de terre, coupées en dés | |
| 1 | oignon, haché | | 1 boîte | petites palourdes | 142 g |
| 1 branche | céleri, coupé en dés | | ½ tasse | crème champêtre (15 %) | 125 ml |
| 1 | carotte, coupée en dés | | 1 tasse | cheddar fort, râpé | 100 g |
| ¼ de tasse | farine | 38 g | 1 tasse | fromage suisse, râpé | 100 g |

## Préparation

• Dans une casserole, faire dorer le bacon dans le beurre. Ajouter l'oignon, le céleri et la carotte. Poursuivre la cuisson quelques minutes à feu moyen. Retirer le bacon et les légumes. Réserver. Conserver le beurre.

• Ajouter la farine au beurre dans la casserole, jusqu'à l'obtention d'une pâte, pour former un roux. Incorporer graduellement l'eau. Remuer constamment en laissant épaissir le bouillon.

• Ajouter les pommes de terre, puis le bacon et les légumes réservés. Laisser mijoter à couvert jusqu'à ce que les pommes de terre soient cuites.

• Incorporer les palourdes, la crème, puis les fromages râpés. Réchauffer. Saler et poivrer au goût. Servir bien chaud.

## Valeur nutritive par portion

| | | |
|---|---|---|
| Calories.....................230 | Glucides.....................16 g | Fibres alimentaires.....................1 g |
| Protéines.....................18 g | Gras saturés.....................16 g | Sodium.....................310 mg |

# VELOURS
## d'automne au panais et au rabiole

Pour 6 personnes. Le rabiole est ce petit navet blanc dont le goût est très doux. Il fait un bon duo avec le panais. Cette soupe est un pur délice!

| | | | | | | |
|---|---|---|---|---|---|---|
| 2 c. à soupe | beurre | 30 g | | 2 | pommes de terre, coupées en dés | |
| 2 ½ tasses | panais, coupé en dés | 343 g | | 6 tasses | bouillon de poulet | 1,5 l |
| 2 ½ tasses | rabiole, coupé en dés | 343 g | | ¼ de tasse | sirop d'érable | 60 ml |
| 2 | gousses d'ail, hachées | | | ½ tasse | crème champêtre (15 %) | 125 ml |
| 1 | oignon, haché | | | | Sel et poivre au goût | |
| 1 branche | céleri, coupé en dés | | | | | |

## Préparation

• Dans une casserole, faire suer les légumes quelques minutes dans le beurre.

• Ajouter le bouillon et le sirop d'érable. Porter à ébullition. Laisser mijoter à couvert 45 minutes, ou jusqu'à ce que les légumes soient tendres.

• Passer le mélange au robot culinaire. Ajouter la crème et assaisonner. Servir avec des chips de parmesan.

Pour les chips de parmesan, déposer des monticules de parmesan fraîchement râpé sur une plaque à biscuits. Saupoudrer de paprika et faire griller au four quelques minutes à 500 °F (260 °C).

## Valeur nutritive par portion

| | | | | | |
|---|---|---|---|---|---|
| Calories | 70 | Glucides | 33 g | Fibres alimentaires | 4 g |
| Protéines | 3 g | Gras saturés | 4,5 g | Sodium | 470 mg |

# PLAISIRS **D'HIVER**

# SOUPES D'HIVER

# LENTILLES
## au lait de coco

Pour 4 à 6 personnes. Les lentilles rouges, qu'on appelle aussi « lentilles corail », sont très utilisées dans la cuisine indienne.

| | | | | | | |
|---|---|---|---|---|---|---|
| 1 ½ tasse | lentilles rouges, rincées | 300 g | | 1 tasse | tomates en boîte | 190 g |
| 5 tasses | eau | 1,25 l | | 1 tasse | lait de coco | 250 ml |
| 2 | carottes | | | 1 c. à soupe | gingembre frais, râpé | 10 g |
| 1 c. à soupe | beurre | 15 g | | 1 c. à thé | cari | 3 g |
| 1 | oignon, haché | | | | Sel et poivre au goût | |
| ½ | poivron rouge, coupé en dés | | | | | |

## Préparation

• Déposer les lentilles rincées dans un chaudron avec l'eau et les carottes. Couvrir et cuire une vingtaine de minutes à feu moyen.

• Pendant ce temps, dans une poêle, faire revenir l'oignon et le poivron rouge dans le beurre.

• Ajouter les légumes aux lentilles cuites. Incorporer le reste des ingrédients. Réchauffer.

• Saler et poivrer au goût.

## Valeur nutritive par portion

| | | |
|---|---|---|
| Calories ..........................230 | Glucides ....................................36 g | Fibres alimentaires ....................11 g |
| Protéines ..............................15 g | Gras saturés ...............................3 g | Sodium ...................................85 mg |

# SOUPE
## à l'orge et au poulet

Pour 4 à 6 personnes. L'orge est une céréale réconfortante, parfaite pour les froides journées d'hiver. L'orge mondé est plus naturel et nutritif que l'orge perlé.

| | | | | | |
|---|---|---|---|---|---|
| 1 c. à soupe | huile d'olive | 15 ml | ¾ de tasse | orge mondé | 140 g |
| 1 tasse | poireau, émincé | 94 g | 8 tasses | bouillon de poulet | 2 l |
| ½ lb | poitrine de poulet, coupée en dés | 225 g | 1 tasse | patates douces, coupées en dés | 140 g |
| 2 c. à thé | paprika | 6 g | ½ tasse | courge au choix, coupée en dés | 107 g |
| 1 c. à thé | curcuma | 3 g | | Sel et poivre au goût | |
| 1 tasse | champignons, tranchés | 74 g | | | |

## Préparation

• Dans un chaudron, à feu moyen, faire revenir le poireau 1 minute dans l'huile d'olive. Éviter de faire brunir le poireau.

• Ajouter la poitrine de poulet coupée en dés, le paprika et le curcuma. Bien enrober et poursuivre la cuisson 1 à 2 minutes.

• Ajouter les champignons et remuer délicatement.

• Incorporer le reste des ingrédients. Porter à ébullition. Réduire le feu, couvrir et laisser mijoter environ 1 heure 15 minutes. Le temps de cuisson peut varier selon l'orge que vous utilisez.

• Saler et poivrer au goût.

## Valeur nutritive par portion

| | | |
|---|---|---|
| Calories .........................210 | Glucides .............................30 g | Fibres alimentaires ......................4 g |
| Protéines .........................14 g | Gras saturés ...........................4 g | Sodium .........................550 mg |

# POTAGE
## aux carottes

Pour 4 personnes. Ce potage se sert en toute saison. En hiver, accompagné de croûtons de pain et de fromage, il est encore plus réconfortant.

| | | | | | | |
|---|---|---|---|---|---|---|
| 2 c. à soupe | beurre | 30 g | 5 tasses | bouillon de poulet | 1,25 l |
| 1 | oignon, haché | | 1 c. à thé | cumin | 3 g |
| 2 | gousses d'ail, émincées | | | Sel et poivre au goût | |
| 5 tasses | carottes, coupées en rondelles | 645 g | | Pain baguette | |
| 1 | pomme de terre, coupée en dés | | 1 tasse | gruyère, râpé | 100 g |

## Préparation

• Dans une casserole, faire dorer l'oignon et l'ail dans l'huile d'olive.

• Ajouter les carottes, la pomme de terre, le bouillon chaud et le cumin. Porter à ébullition, réduire le feu et laisser mijoter à couvert une trentaine de minutes.

• Passer le mélange au robot culinaire pour le réduire en purée. Saler et poivrer au goût. Verser le potage dans les bols de service, déposer un ou deux morceaux de pain grillé sur chacun et parsemer de gruyère râpé. Faire gratiner au four. Décorer de paprika et servir.

## Valeur nutritive par portion

| | | |
|---|---|---|
| Calories .................................140 | Glucides .................................31 g | Fibres alimentaires .....................5 g |
| Protéines ...............................12 g | Gras saturés ...............................9 g | Sodium .................................810 mg |

# SOUPE
## poulet et riz

Pour 4 personnes. Ajouter le brocoli en fin de cuisson pour les garder croustillants sous la dent.

| | | | | | |
|---|---|---|---|---|---|
| 1 c. à soupe | huile d'olive | 15 ml | 6 tasses | bouillon de poulet | 1,5 l |
| 4 | oignons verts, émincés | | ¼ de tasse | riz | 48 g |
| 2 | gousses d'ail, hachées | | 1 tasse | poulet cuit, coupé en morceaux | 150 g |
| 2 c. à thé | gingembre frais, haché finement | 4 g | 6 | champignons, tranchés | |
| 1 | piment fort séché, haché | | 2 tasses | brocoli, en bouquets | 186 g |
| | | | | Sel et poivre au goût | |

## Préparation

• Dans une casserole, faire revenir pendant quelques minutes les oignons verts, l'ail, le gingembre et le piment dans l'huile d'olive.

• Incorporer le bouillon chaud, le riz et le poulet. Poursuivre la cuisson à couvert 20 minutes, jusqu'à ce que le riz soit cuit.

• Ajouter les champignons et le brocoli. Continuer la cuisson quelques minutes. Saler et poivrer au goût. Servir aussitôt.

## Valeur nutritive par portion

| | | |
|---|---|---|
| Calories .....................45 | Glucides ........................15 g | Fibres alimentaires ....................2 g |
| Protéines .....................16 g | Gras saturés .........................1 g | Sodium ........................610 mg |

# SOUPE
## aux pois cassés

Pour 6 personnes. Le parfum de cette soupe embaume la maison. C'est ce qu'on appelle de la cuisine réconfort.

| | | |
|---|---|---|
| 10 tasses | eau | 2,5 l |
| 2 tasses | pois verts cassés | 416 g |
| 1 | carotte, coupée en dés | |
| 1 | oignon, haché | |
| 5 | champignons, coupés en dés | |
| ½ bloc | tofu, coupé en petits dés | 225 g |
| 1 branche | céleri, coupé en dés | |
| 2 | feuilles de laurier | |
| | Sel et poivre au goût | |

## Préparation

• Faire tremper les pois cassés 15 minutes dans l'eau froide. Égoutter.

• Déposer tous les ingrédients dans une grande casserole. Amener à ébullition, réduire le feu et laisser mijoter à couvert une bonne heure, ou jusqu'à ce que les pois verts soient cuits.

• Saler et poivrer au goût. Servir.

## Valeur nutritive par portion

| | | |
|---|---|---|
| Calories ...................................20 | Glucides ....................................18 g | Fibres alimentaires .....................3 g |
| Protéines ..............................10 g | Gras saturés ............................0,4 g | Sodium ................................10 mg |

# SOUPE
## aux haricots blancs

Pour 4 personnes. Soupe rapide et consistante à servir avec des croûtons de pain à l'ail.

| | | |
|---|---|---|
| 2 c. à soupe | huile d'olive | 30 ml |
| 1 | oignon, haché | |
| 2 | gousses d'ail, hachées | |
| 3 | pommes de terre, coupées en dés | |
| 5 tasses | bouillon de légumes | 1,25 l |
| 1 c. à thé | origan séché | 3 g |
| 1 | feuille de laurier | |
| 1 pincée | sarriette | |
| 1 boîte | haricots blancs en boîte | 540 ml |
| | Sel et poivre au goût | |

## Préparation

• Dans une casserole, faire revenir l'oignon et l'ail dans l'huile d'olive. Ajouter les pommes de terre et bien les enrober d'huile.

• Incorporer le bouillon de légumes, l'origan, le laurier et la sarriette. Laisser mijoter à couvert une vingtaine de minutes, jusqu'à ce que les pommes de terre soient tendres.

• Ajouter les haricots blancs rincés et égouttés. Poursuivre la cuisson 10 minutes. Saler et poivrer au goût. Servir avec des croûtons à l'ail.

## Valeur nutritive par portion

| | | |
|---|---|---|
| Calories ..............................70 | Glucides ...................................43 g | Fibres alimentaires .....................9 g |
| Protéines ..........................12 g | Gras saturés ..............................1 g | Sodium ................................480 mg |

# SOUPE
## thaï aux crevettes

Pour 4 personnes.

| | | | | | | |
|---|---|---|---|---|---|---|
| 1 c. à soupe | huile d'olive | 15 ml | 6 tasses | bouillon de poulet | 1,5 l |
| 2 | gousses d'ail, hachées | | 2 c. à soupe | jus de citron frais | 30 ml |
| 2 | oignons verts, hachés | | 1 paquet | vermicelles de riz | 225 g |
| ½ tasse | poireau, haché | 47 g | 16 | grosses crevettes | |
| 1 c. à soupe | gingembre frais haché finement | 4 g | 16 | champignons, tranchés | |
| 1 | petit piment fort, coupé en dés | | ⅓ de tasse | sauce de poisson | 80 ml |
| | | | 1 c. à soupe | cassonade | 12 g |

## Préparation

• Dans une casserole, faire chauffer l'huile. Faire sauter l'ail, les oignons verts, le poireau, le gingembre et le piment 1 minute.

• Ajouter le bouillon et le jus de citron. Laisser mijoter 5 minutes.

• Pendant ce temps, faire tremper les vermicelles de riz dans une bonne quantité d'eau chaude quelques minutes. Égoutter et répartir dans les bols de service.

• Ajouter le reste des ingrédients au bouillon. Laisser mijoter 3 minutes.

• Déposer la soupe sur les vermicelles de riz. Décorer de coriandre fraîche, saler et poivrer au goût.

## Valeur nutritive par portion

| | | |
|---|---|---|
| Calories....................320 | Glucides ......................57 g | Fibres alimentaires ......................2 g |
| Protéines ..................12 g | Gras saturés ..............................5 g | Sodium .............................1840 mg |

# SOUPE
## aux lentilles de Josefina

Pour 4 personnes. La soupe de grand-maman est souvent la meilleure. Voici la recette de soupe aux lentilles de la grand-mère de mes enfants.

| | | | | | | |
|---|---|---|---|---|---|---|
| 1 tasse | lentilles vertes, sèches | 200 g | | 1 | poireau, haché finement | |
| 6 tasses | eau | 1,5 l | | 1 tasse | sauce tomate | 250 ml |
| 1 c. à soupe | huile d'olive | 15 ml | | 1 | carotte, coupée en bâtonnets | |
| ½ | oignon, haché finement | | | 1 | pomme de terre, coupée en dés | |
| 2 | gousses d'ail, hachées finement | | | | Sel et poivre au goût | |

## Préparation

- Déposer les lentilles dans une casserole avec 2 tasses (500 ml) d'eau. Porter à ébullition, réduire le feu et laisser mijoter à découvert.

- Pendant ce temps, dans une poêle, chauffer l'huile d'olive pour faire brunir l'oignon, l'ail et le poireau. Ajouter la sauce tomate et poursuivre la cuisson 5 minutes à feu moyen.

- Ajouter aux lentilles, la carotte, la pomme de terre et le mélange à la sauce tomate. Laisser frémir jusqu'à ce que les légumes soient tendres, en prenant soin d'ajouter le reste de l'eau, soit 4 tasses (1 litre), graduellement. Saler et poivrer au goût.

## Valeur nutritive par portion

| | | |
|---|---|---|
| Calories ..................................50 | Glucides .....................................44 g | Fibres alimentaires .....................8 g |
| Protéines ..................................17 g | Gras saturés ...............................0,5 g | Sodium ..................................170 mg |

# SOUPE
## d'agneau aux pois chiches

Pour 4 personnes. Dans le nord de l'Afrique, l'agneau se sert lors des jours de fête. Pourquoi ne pas fêter au quotidien ?

| | | | | | | |
|---|---|---|---|---|---|---|
| 2 c. à soupe | huile d'olive | 30 ml | | 1 | feuille de laurier | |
| 1 | oignon, haché | | | 1 boîte | tomates italiennes en boîte | 798 ml |
| 1 | gousse d'ail, hachée | | | 1 | carotte, coupée en dés | |
| 1 lb | agneau, coupé en dés | 450 g | | 1 branche | céleri, coupé en dés | |
| 4 tasses | eau | 1 l | | 1 tasse | navet, coupé en dés | 137 g |
| 1 c. à thé | origan séché | 3 g | | 1 boîte | pois chiches en boîte | 540 ml |
| ½ c. à thé | thym séché | 1 g | | 1 | courgette, coupée en dés | |

## Préparation

• Dans une casserole, chauffer l'huile à feu élevé pour faire dorer l'oignon, l'ail, puis l'agneau.

• Une fois la viande saisie, ajouter l'eau, l'origan, le thym et le laurier. Laisser mijoter une trentaine de minutes à couvert.

• Incorporer les tomates, la carotte, le céleri et le navet. Poursuivre la cuisson 20 minutes.

• Ajouter les pois chiches et la courgette. Cuire une dizaine de minutes encore. Saler et poivrer. Décorer d'origan séché. Servir.

## Valeur nutritive par portion

| | | | |
|---|---|---|---|
| Calories | 180 | Glucides | 41 g | Fibres alimentaires | 8 g |
| Protéines | 34 g | Gras saturés | 5 g | Sodium | 550 mg |

# SOUPE
## aux haricots noirs

Pour 4 personnes. Une soupe de soirs d'hiver, pour que la chaleur se rende jusqu'au bout de vos pieds.

| | | |
|---|---|---|
| 1 c. à soupe | huile d'olive | 15 ml |
| 1 | oignon, haché | |
| 1 | gousse d'ail, hachée | |
| 3 tranches | bacon, coupées en morceaux | 60 g |
| 1 | poivron rouge, coupé en dés | |
| 2 | pommes de terre, coupées en dés | |

| | | |
|---|---|---|
| 4 tasses | eau | 1 l |
| 1 boîte | haricots noirs en boîte | 540 ml |
| 1 tasse | maïs surgelé | 163 g |
| 1 c. à thé | paprika | 3 g |
| | Sel et poivre au goût | |

## Préparation

• Dans une casserole, chauffer l'huile d'olive à feu élevé. Faire dorer l'oignon, l'ail puis le bacon.

• Une fois les légumes bien rôtis, ajouter le poivron rouge et les pommes de terre. Poursuivre la cuisson à feu moyen 1 à 2 minutes.

• Incorporer l'eau, puis le reste des ingrédients. Laisser mijoter à couvert 30 minutes.

• Passer la moitié de la soupe au robot culinaire, puis remettre à chauffer avec le reste du mélange. Saler et poivrer au goût. Servir.

• Une touche de crème sûre pourrait venir décorer chacun des bols de service.

## Valeur nutritive par portion

| | | |
|---|---|---|
| Calories.............................50 | Glucides.....................................42 g | Fibres alimentaires ......................7 g |
| Protéines ...........................14 g | Gras saturés ................................1 g | Sodium ................................680 mg |

# SOUPE
## au bœuf et à l'orge

Pour 4 à 6 personnes. Consistant et réconfortant. L'éloge du bœuf et de l'orge n'est plus à faire.

| | | |
|---|---|---|
| 2 c. à soupe | huile d'olive | 30 ml |
| 2 | oignons, hachés | |
| ⅔ lb | bœuf en cubes | 300 g |
| 2 | carottes, coupées en dés | |
| 1 tasse | fenouil, coupé en dés | 90 g |
| ½ tasse | orge | 95 g |
| 8 tasses | eau | 2 l |
| 1 | feuille de laurier | |
| | Sel et poivre au goût | |

## Préparation

• Dans une casserole, à feu élevé, faire rôtir l'oignon et le bœuf dans l'huile d'olive.

• Ajouter la carotte, le fenouil et l'orge. Remuer et bien enrober. Poursuivre la cuisson 1 à 2 minutes à feu moyen.

• Incorporer l'eau et la feuille de laurier. Laisser mijoter 1 heure à couvert.

• Saler et poivrer au goût.

## Valeur nutritive par portion

| | | |
|---|---|---|
| Calories ......................................70 | Glucides ......................................18 g | Fibres alimentaires ......................2 g |
| Protéines ..................................12 g | Gras saturés ..............................2 g | Sodium ....................................40 mg |

# CHAUDRÉE
## de palourdes

Pour 6 personnes. Cette chaudrée est beaucoup plus facile à réaliser qu'on peut l'imaginer. Les petites palourdes en boîte vous faciliteront la vie.

| | | | | | | |
|---|---|---|---|---|---|---|
| 1 c. à soupe | beurre | 15 g | 2 boîtes | petites palourdes en boîte | 284 g |
| 1 | oignon, haché | | ½ c. à thé | herbes de Provence | 1 g |
| 1 branche | céleri, coupé en dés | | 1 | feuille de laurier | |
| 1 c. à soupe | farine | 10 g | ½ tasse | crème champêtre (15 %) | 125 ml |
| 4 | pommes de terre, coupées en dés | | | Sel et poivre au goût | |
| 4 tasses | eau | 1 l | | | |

## Préparation

- Dans une casserole, à feu moyen, faire dorer l'oignon et le céleri dans le beurre.

- Ajouter la farine, les pommes de terre et bien mélanger.

- Incorporer graduellement le jus des boîtes de palourdes, l'eau, les herbes et le laurier. Porter à ébullition et laisser mijoter à couvert jusqu'à ce que les pommes de terre soient cuites.

- Ajouter les palourdes et laisser frémir la chaudrée une dizaine de minutes. Verser la crème champêtre et mélanger. Saler et poivrer au goût.

## Valeur nutritive par portion

| | | | | | |
|---|---|---|---|---|---|
| Calories | 60 | Glucides | 19 g | Fibres alimentaires | 2 g |
| Protéines | 15 g | Gras saturés | 3,5 g | Sodium | 280 mg |

# SOUPE
## de pois chiches aux légumes

Pour 4 personnes. Le harissa est une pâte faite de piment fort broyé. Il est très utilisé dans la cuisine de l'Afrique du Nord. Dosez la quantité selon votre tolérance.

| | | | | | | |
|---|---|---|---|---|---|---|
| 1 c. à soupe | huile d'olive | 15 ml | | 1 tasse | navet, coupé en dés | 137 g |
| 1 | oignon, haché | | | ⅛ de tasse | jus de citron frais | 30 ml |
| 1 | gousse d'ail, hachée | | | 4 tasses | eau | 1 l |
| 1 c. à thé | cumin | 3 g | | 1 boîte | pois chiches en boîte | 540 ml |
| 2 c. à thé | harissa | 10 ml | | 1 | courgette, coupée en dés | |
| ⅛ de tasse | pâte de tomate | 30 ml | | | Sel et poivre au goût | |
| 1 | carotte, coupée en dés | | | | | |

## Préparation

• Dans une casserole, faire dorer l'oignon et l'ail dans l'huile d'olive. Ajouter le cumin, le harissa et la pâte de tomate. Bien remuer 1 à 2 minutes à feu moyen.

• Incorporer la carotte, le navet, le jus de citron, l'eau et les pois chiches. Laisser mijoter à couvert une vingtaine de minutes, ou jusqu'à ce que les légumes soient cuits.

• Ajouter la courgette, le sel et le poivre au goût. Poursuivre la cuisson 5 minutes. Ajouter un peu d'eau au besoin. Servir.

## Valeur nutritive par portion

| | | | | | |
|---|---|---|---|---|---|
| Calories | 45 | Glucides | 41 g | Fibres alimentaires | 8 g |
| Protéines | 9 g | Gras saturés | 0,5 g | Sodium | 450 mg |

# SOUPE
## aux pois à l'ancienne

Pour 4 à 6 personnes. Une recette pour se réchauffer dans les pires froids de l'hiver. Qui n'aime pas la soupe aux pois? Avec le jambon très salé, vous n'aurez qu'à ajouter un peu de poivre.

| | | |
|---|---|---|
| 2 tasses | pois secs | 300 g |
| 10 tasses | eau | 2,5 l |
| 1 | oignon, haché | |
| 1 | carotte, coupée en dés | |
| 1 branche | céleri, coupé en dés | |
| 2 tasses | jambon cuit, coupé en dés | 300 g |
| 2 | feuilles de laurier | |
| | Poivre au goût | |

## Préparation

• Dans une grande casserole, faire tremper les pois dans l'eau toute une nuit.

• Le lendemain, rincer les pois et déposer tous les ingrédients dans une grande casserole.

• Porter à ébullition, réduire le feu et laisser mijoter à couvert au moins 1 heure, ou jusqu'à ce que les pois soient cuits. Bien remuer avant de servir.

## Valeur nutritive par portion

| | | |
|---|---|---|
| Calories ....................................130 | Glucides .....................................30 g | Fibres alimentaires ......................1 g |
| Protéines ..................................30 g | Gras saturés ..............................3 g | Sodium ..................................790 mg |

# SOUPE
## aux saucisses piquantes

Pour 6 à 8 personnes. Il est important de choisir des saucisses italiennes de qualité. Elles donnent toute la saveur à cette soupe.

| | | | | | | |
|---|---|---|---|---|---|---|
| 2 c. à soupe | huile d'olive | 30 ml | 1 boîte | tomates italiennes | 798 ml |
| 2 | saucisses italiennes piquantes | 300 g | 4 tasses | bouillon de bœuf | 1 l |
| 2 | oignons, hachés | | 1 c. à thé | origan séché | 3 g |
| 4 | gousses d'ail, hachées | | 2 | feuilles de laurier | |
| 1 | carotte, coupée en dés | | | Sel et poivre au goût | |

## Préparation

• Dans une casserole, faire bouillir les saucisses 10 minutes dans l'eau et les égoutter. Une fois refroidies, les couper en rondelles.

• Dans une casserole, faire rôtir les rondelles de saucisses dans l'huile d'olive, puis l'oignon et l'ail. Ajouter la carotte. Remuer 1 à 2 minutes.

• Incorporer les tomates, le bouillon chaud et le reste des ingrédients.

• Laisser mijoter à couvert 30 minutes. Saler et poivrer au goût. Servir.

## Valeur nutritive par portion

| | | |
|---|---|---|
| Calories..................140 | Glucides .......................7 g | Fibres alimentaires ......................1 g |
| Protéines ......................7 g | Gras saturés ...........................4,5 g | Sodium ...........................590 mg |

# SOUPE
## à l'oignon et aux pommes

Pour 4 personnes. Les pommes donnent un nouveau souffle à la traditionnelle soupe à l'oignon.

| | | |
|---|---|---|
| 3 c. à soupe | beurre | 45 g |
| 4 tasses | oignon espagnol, tranché | 676 g |
| 2 c. à thé | cari | 6 g |
| 2 | pommes vertes, pelées et râpées | |
| 1 | bière blonde | 342 ml |
| 4 tasses | bouillon de bœuf | 1 l |
| | Croûtons | |
| 1 tasse | gruyère, râpé | 100 g |

## Préparation

• Dans une casserole, faire dorer les oignons dans le beurre 10 minutes à feu moyen avec le cari.

• Ajouter les pommes, la bière et le bouillon. Laisser mijoter à couvert 30 minutes. Saler et poivrer au goût.

• Verser dans les bols de service. Garnir de croûtons de pain et de gruyère râpé. Laisser fondre le fromage quelques minutes sous le gril. Servir aussitôt.

## Valeur nutritive par portion

| | | |
|---|---|---|
| Calories ..................................160 | Glucides ....................................30 g | Fibres alimentaires ......................3 g |
| Protéines ..............................11 g | Gras saturés ............................11 g | Sodium ................................590 mg |

# SOUPE
## aux boulettes de bœuf

Pour 4 à 6 personnes. La légèreté du bouillon compense pour la consistance des boulettes de viande. Si vous en avez envie, vous pouvez ajouter céleri et carotte en dés aux boulettes.

| | | | | | | |
|---|---|---|---|---|---|---|
| 1 c. à soupe | huile d'olive | 15 ml | | 8 tasses | eau | 2 l |
| 1 lb | bœuf haché maigre | 450 g | | 2 c. à thé | huile de sésame | 10 ml |
| 2 | œufs | | | 2 c. à soupe | sauce soya | 30 ml |
| ½ tasse | chapelure | 57 g | | ¼ de tasse | coquillettes ou autres petites pâtes | 48 g |
| ½ tasse | parmesan | 50 g | | | | |
| 2 c. à thé | flocons d'oignon | 6 g | | 6 | oignons verts, hachés | |
| 1 c. à thé | sel d'ail | 3 g | | | | |

## Préparation

• Dans un bol, mélanger le bœuf haché, les œufs, la chapelure, le parmesan, les flocons d'oignon et le sel d'ail. Façonner une quarantaine de petites boulettes.

• Dans une poêle, à feu élevé, faire rôtir les boulettes de viande dans l'huile d'olive 4 à 5 minutes.

• Dans une casserole, faire chauffer l'eau avec l'huile de sésame, la sauce soya, les coquillettes et les oignons verts. Ajouter les boulettes de viande. Laisser mijoter à couvert 20 minutes.

• Saler et poivrer au goût. Servir.

## Valeur nutritive par portion

| | | |
|---|---|---|
| Calories......................................160 | Glucides ......................................13 g | Fibres alimentaires ......................1 g |
| Protéines ....................................21 g | Gras saturés ................................7 g | Sodium ................................780 mg |

# SOUPE
## à l'orzo

Pour 4 personnes. L'orzo est cette petite pâte qui ressemble étrangement à un grain de riz. Vous allez la retrouver dans la section des pâtes de votre supermarché. Il est très utilisé dans la cuisine italienne.

| | | |
|---|---|---|
| 1 c. à soupe | huile d'olive | 15 ml |
| 1 | oignon, haché | |
| 2 | gousses d'ail, hachées | |
| 6 | champignons, tranchés | |

| | | |
|---|---|---|
| 1 boîte | tomates italiennes en boîte | 796 ml |
| 4 tasses | eau | 1 l |
| ½ tasse | orzo | 95 g |
| | Sel et poivre au goût | |

## Préparation

• Dans une casserole, faire dorer l'oignon et l'ail dans l'huile d'olive.

• Incorporer les champignons, les tomates italiennes et l'eau. Laisser mijoter à couvert 20 minutes à feu moyen.

• Pendant ce temps, faire cuire l'orzo dans une grande quantité d'eau bouillante, selon les indications figurant sur l'emballage. Égoutter.

• Passer le mélange de tomates au robot culinaire. Remettre à chauffer dans la casserole, en y ajoutant l'orzo.

• Saler et poivrer au goût. Servir.

## Valeur nutritive par portion

| | | |
|---|---|---|
| Calories ............................35 | Glucides ...................................27 g | Fibres alimentaires .......................3 g |
| Protéines ............................5 g | Gras saturés ............................0,5 g | Sodium ...................................260 mg |

# CHAUDRÉE
## de maïs

Pour 4 personnes. Le maïs et la patate douce sont deux légumes au goût très sucré. Ils s'agencent donc très bien ensemble. En saison, vous pourriez ajouter un peu de maïs frais à cette recette. Sinon, elle se cuisine en toute saison.

| | | |
|---|---|---|
| 1 c. à soupe | beurre | 15 g |
| 1 | oignon, haché | |
| 1 | gousse d'ail, hachée | |
| 1 tasse | patate douce, coupée en dés | 140 g |
| 2 tasses | bouillon de légumes | 500 ml |
| 1 boîte | maïs en crème | 540 ml |
| ½ tasse | lait | 125 ml |
| ½ tasse | cheddar, râpé | 50 g |
| | Sel et poivre au goût | |

## Préparation

• Dans une casserole, faire fondre le beurre et faire revenir l'oignon et l'ail 2 à 3 minutes.

• Ajouter la patate douce et le bouillon de légumes chaud. Couvrir et laisser mijoter une quinzaine de minutes.

• Incorporer le maïs en crème et le lait. Laisser frémir à feu doux quelques minutes.

• Faire fondre le fromage cheddar dans la chaudrée. Saler et poivrer au goût. Servir fumant.

## Valeur nutritive par portion

| | | |
|---|---|---|
| Calories .................................80 | Glucides ............................37 g | Fibres alimentaires ......................3 g |
| Protéines ............................8 g | Gras saturés ..........................5 g | Sodium ...............................730 mg |

# SOUPE
## aux trois riz

Pour 4 personnes. Compter une bonne heure de cuisson pour que le riz sauvage soit bien tendre. Ajouter du bouillon au besoin.

| | | | | | | |
|---|---|---|---|---|---|---|
| 1 c. à soupe | huile d'olive | 15 ml | 1 c. à thé | coriandre moulue | 3 g |
| 1 | oignon, haché | | 5 tasses | bouillon de légumes | 1,25 l |
| 1 | gousse d'ail, émincée | | 1 | tomate, coupée en dés | |
| 1 | carotte, coupée en dés | | 5 | champignons, coupés en petits morceaux | |
| ½ tasse | patate douce, coupée en dés | 70 g | ¼ de tasse | riz brun | 48 g |
| ¼ de tasse | riz sauvage | 48 g | ¼ de tasse | riz basmati | 48 g |
| 1 c. à thé | cari | 3 g | | Sel et poivre au goût | |
| 1 c. à thé | paprika | 3 g | | | |

## Préparation

• Dans une casserole, faire revenir l'oignon et l'ail dans l'huile d'olive.

• Ajouter la carotte, la patate douce, le riz sauvage et les épices. Poursuivre la cuisson 3 à 4 minutes à feu moyen.

• Incorporer le bouillon chaud, la tomate et les champignons. Couvrir et laisser mijoter 30 minutes.

• Ajouter le riz brun et le riz basmati. Laisser mijoter un autre 30 minutes à couvert. Saler et poivrer au goût.

## Valeur nutritive par portion

| | | |
|---|---|---|
| Calories.................................40 | Glucides ....................................37 g | Fibres alimentaires ......................4 g |
| Protéines ............................5 g | Gras saturés ..............................0,5 g | Sodium ...................................480 mg |

# VELOUTÉ
## de bœuf

Pour 4 personnes. Ce velouté fait une magnifique entrée à un repas consistant. Il s'agit en fait d'une béchamel mêlée à un bon bouillon de bœuf.

| | | |
|---|---|---|
| 3 tasses | bouillon de bœuf (voir section bouillons) | 750 ml |
| ¼ de tasse | beurre | 60 g |
| ¼ de tasse | farine | 38 g |
| 2 tasses | lait | 500 ml |
| | Sel et poivre au goût | |

## Préparation

• Dans une casserole, faire chauffer le fond blanc de bœuf.

• Pendant ce temps, faire une béchamel. Faire fondre le beurre avec la farine 30 secondes au four à micro-ondes. Incorporer le lait. Chauffer 7 à 8 minutes en remuant régulièrement, le temps que la béchamel épaississe.

• Mélanger la béchamel au fond de bœuf. Saler et poivrer abondamment.

## Valeur nutritive par portion

| | | |
|---|---|---|
| Calories ....................130 | Glucides ...........................12 g | Fibres alimentaires ......................0 g |
| Protéines .........................5 g | Gras saturés ...............................9 g | Sodium ..................................410 mg |

# SOUPE
## aux lentilles et aux saucisses

Pour 4 personnes. Cette soupe d'inspiration espagnole est un pur délice. Les enfants en raffolent. Vous pouvez remplacer les saucisses chorizo par des saucisses piquantes.

| | | |
|---|---|---|
| 1 tasse | lentilles vertes, sèches | 200 g |
| 2 | saucisses chorizo, coupées en rondelles | 300 g |
| 2 | carottes, coupées en dés | |
| 1 | pomme de terre, coupée en dés | |
| 8 tasses | eau | 2 l |

| | | |
|---|---|---|
| 1 c. à soupe | huile d'olive | 15 ml |
| 1 | oignon, haché finement | |
| 3 | gousses d'ail, hachées finement | |
| 1 boîte | pâte de tomate | 156 ml |
| | Sel et poivre au goût | |

## Préparation

• Déposer les lentilles, les saucisses, les carottes, la pomme de terre et l'eau dans un chaudron. Porter à ébullition et réduire le feu. Laisser mijoter 15 minutes.

• Pendant ce temps, dans une poêle, chauffer l'huile d'olive pour faire brunir l'oignon et l'ail. Il est important que l'oignon et l'ail soient très grillés. Ajouter alors la pâte de tomate et remuer pendant 1 minute.

• Ajouter ce mélange à celui des lentilles. Poursuivre la cuisson 5 minutes.

• Saler et poivrer au goût. Servir.

## Valeur nutritive par portion

| | | |
|---|---|---|
| Calories.....................290 | Glucides ........................48 g | Fibres alimentaires ......................9 g |
| Protéines ......................35 g | Gras saturés ...........................11 g | Sodium ..............................1010 mg |

# SOUPE
## aux légumineuses et au millet

Pour 4 personnes. Plus petit que le blé et le riz, le millet est une céréale méconnue. Si vous n'avez pas de millet sous la main, vous pouvez utiliser du couscous pour réaliser cette soupe.

| | | | | | | |
|---|---|---|---|---|---|---|
| 1 c. à soupe | huile d'olive | 15 ml | | ⅓ de tasse | millet | 70 g |
| 1 | oignon, haché | | | 1 boîte | légumineuses mélangées | 540 ml |
| 1 | gousse d'ail, hachée | | | ½ | courgette, coupée en dés | |
| 1 | carotte, coupée en dés | | | ¼ de tasse | persil frais, haché | 15 g |
| ½ | poivron vert, coupé en lanières | | | ½ c. à thé | herbes de Provence | 1 g |
| 4 tasses | bouillon de poulet | 1 l | | | Sel et poivre au goût | |

## Préparation

- Dans une casserole, faire dorer quelques minutes l'oignon et l'ail dans l'huile d'olive.

- Ajouter la carotte et le poivron vert. Continuer la cuisson à feu moyen 2 à 3 minutes.

- Incorporer le bouillon chaud, le millet, les légumineuses, puis le reste des ingrédients. Laisser mijoter à couvert 30 minutes, ou jusqu'à ce que le millet soit bien gonflé.

- Saler et poivrer. Ajouter un peu d'eau au besoin.

## Valeur nutritive par portion

| | | |
|---|---|---|
| Calories ..................................50 | Glucides ..................................39 g | Fibres alimentaires ....................12 g |
| Protéines ..............................11 g | Gras saturés ..............................1 g | Sodium ................................830 mg |

# SOUPE
## au poisson et au riz

Pour 4 personnes. Le tilapia est fabuleux dans cette recette. Ses morceaux restent fermes au cours de la cuisson. Pour ce qui est des calmars, on en retrouve de très bons au comptoir des surgelés.

| | | | | | | |
|---|---|---|---|---|---|---|
| 1 c. à soupe | huile d'olive | 15 ml | | 3 ½ tasses | eau | 875 ml |
| ½ tasse | poireau, haché | 47 g | | ½ c. à thé | paprika | 1 g |
| ½ tasse | fenouil, haché | 45 g | | 1 bonne pincée | poivre de Cayenne | |
| 1 | tomate, coupée en dés | | | ½ lb | filet de tilapia | 225 g |
| ½ tasse | vin blanc | 125 ml | | 10 | rondelles de calmars | |
| ¼ de tasse | riz au jasmin | 48 g | | | Sel et poivre au goût | |

## Préparation

• Dans une casserole, faire revenir le poireau et le fenouil dans l'huile d'olive.

• Ajouter la tomate. Poursuivre la cuisson 1 à 2 minutes à feu moyen.

• Incorporer le vin blanc et laisser réduire quelques minutes.

• Ajouter le riz, l'eau, le paprika et le poivre de Cayenne. Couvrir et laisser mijoter 20 minutes.

• Incorporer le poisson coupé en morceaux et les calmars. Poursuivre la cuisson 10 minutes. Saler et poivrer au goût.

## Valeur nutritive par portion

| | | | | | |
|---|---|---|---|---|---|
| Calories | 45 | Glucides | 16 g | Fibres alimentaires | 1 g |
| Protéines | 20 g | Gras saturés | 1 g | Sodium | 60 mg |

# SOUPE
## bœuf et nouilles

Pour 4 à 6 personnes. Utilisez du bœuf de qualité que vous couperez en fines lamelles. Si vous n'avez pas de nouilles de riz, remplacez par des fettucinis.

| | | | | | | |
|---|---|---|---|---|---|---|
| 1 tasse | nouilles de riz, cuites | 190 g | ½ c. à thé | gingembre moulu | 2 g |
| ½ lb | bœuf, coupé en lamelles | 225 g | 4 | oignons verts, hachés | |
| 6 tasses | bouillon de bœuf | 1,5 l | 1 | poivron vert, coupé en fines lanières | |
| 3 c. à soupe | sauce soya | 45 ml | | Sel et poivre au goût | |
| 2 | gousses d'ail, pressées | | | | |

## Préparation

- Dans une casserole, faire cuire les nouilles de riz dans une grande quantité d'eau, selon les indications figurant sur l'emballage. Rincer et égoutter.

- Dans une petite casserole, faire cuire les lamelles de bœuf 5 minutes dans l'eau bouillante. Égoutter.

- Faire chauffer le bouillon dans une grande casserole, avec la sauce soya, l'ail et le gingembre.

- Ajouter les oignons verts, le poivron vert, le bœuf cuit et les nouilles de riz. Poursuivre la cuisson 5 à 7 minutes. Saler et poivrer au goût. Servir.

## Valeur nutritive par portion

| | | |
|---|---|---|
| Calories ....................................25 | Glucides .....................................11 g | Fibres alimentaires .......................1 g |
| Protéines ..................................9 g | Gras saturés ..............................1 g | Sodium ....................................830 mg |

# SOUPE
## à l'ail

Pour 6 personnes. La soupe à l'ail est une recette très ancienne. Elle fait partie de la cuisine simple, pratique, nutritive et bon marché de plusieurs pays d'Europe. Utilisez un pain de blé entier de qualité pour réaliser cette recette.

| | | |
|---|---|---|
| 2 c. à soupe | huile d'olive | 30 ml |
| 1 | tête d'ail, hachée finement | |
| 2 tranches | pain blé entier | |
| 1 c. à thé | paprika | 3 g |
| 6 tasses | bouillon de bœuf | 1,5 l |
| 6 | œufs à la coque | |
| | Sel et poivre au goût | |

## Préparation

• Dans une casserole, chauffer l'huile d'olive et faire dorer l'ail à feu moyen. Une tête d'ail comprend habituellement une douzaine de gousses d'ail.

• Couper le pain en petits cubes et l'ajouter à l'ail. Poursuivre la cuisson jusqu'à ce que le pain commence à dorer. Assaisonner de paprika.

• Ajouter le bouillon graduellement et laisser mijoter à couvert 20 minutes.

• Pendant ce temps, faire cuire les œufs. Garder les jaunes entiers et couper les blancs en petits morceaux.

• Déposer un jaune d'œuf dans chacun des bols de service, verser la soupe et décorer de blancs d'œufs hachés. Saler et poivrer au goût.

## Valeur nutritive par portion

| | | |
|---|---|---|
| Calories..................................100 | Glucides .....................................10 g | Fibres alimentaires ......................1 g |
| Protéines ...................................8 g | Gras saturés ............................2,5 g | Sodium ..................................490 mg |

# SOUPE
## aux tortellinis

Pour 4 personnes. Choisir des tortellinis de qualité pour réaliser cette recette. Il en existe au fromage et à la viande.

| | | | | | | |
|---|---|---|---|---|---|---|
| ½ lb | tortellinis | 225 g | 4 tasses | eau | 1 l |
| 1 c. à soupe | huile d'olive | 15 ml | 10 | feuilles de basilic frais | |
| 1 | oignon, haché | | ¼ de tasse | persil frais, haché | 15 g |
| 1 | gousse d'ail, hachée | | | Sel et poivre, au goût | |
| 1 | carotte, râpée | | | Parmesan frais, râpé | |
| 1 boîte | tomates italiennes | 398 ml | | | |

## Préparation

• Faire cuire les tortellinis dans une grande quantité d'eau bouillante, selon les indications figurant sur l'emballage. Égoutter.

• Dans une casserole, faire revenir l'oignon et l'ail dans l'huile d'olive. Ajouter la carotte râpée, les tomates italiennes et l'eau. Laisser mijoter à couvert une vingtaine de minutes à feu moyen.

• Ajouter le basilic, le persil et les tortellinis cuits.

• Saler et poivrer. Garnir d'une généreuse portion de parmesan frais râpé. Laisser fondre légèrement avant de servir.

## Valeur nutritive par portion

| | | |
|---|---|---|
| Calories................70 | Glucides................34 g | Fibres alimentaires................3 g |
| Protéines................9 g | Gras saturés................2,5 g | Sodium................500 mg |

# SOUPE
## cajun aux crevettes et au poulet

Pour 4 personnes. Dosez le poivre de Cayenne comme bon vous semble. Toutefois, c'est une soupe qui gagne à être piquante.

| | | |
|---|---|---|
| 1 c. à soupe | huile d'olive | 15 ml |
| ½ | oignon, haché | |
| 1 | gousse d'ail, hachée | |
| ½ branche | céleri, coupé en dés | |
| ½ lb | poitrine de poulet, coupée en dés | 225 g |
| ½ | poivron rouge, coupé en dés | |
| ⅓ de tasse | riz au choix | 65 g |

| | | |
|---|---|---|
| 1 boîte | tomates italiennes | 398 ml |
| 4 tasses | eau | 1 l |
| 1 | feuille de laurier | |
| ⅛ c. à thé | thym séché | 1 ml |
| 15 | grosses crevettes décortiquées | |
| | Sel et poivre de Cayenne, au goût | |

## Préparation

• Dans une casserole, faire revenir l'oignon, l'ail et le céleri dans l'huile d'olive.

• Ajouter la poitrine de poulet coupée en dés de façon à la faire dorer légèrement.

• Incorporer le poivron rouge, le riz, les tomates, l'eau, la feuille de laurier et le thym. Laisser mijoter à couvert 20 minutes, jusqu'à ce que le riz soit cuit.

• Ajouter les crevettes. Poursuivre la cuisson quelques minutes. Saler et poivrer.

## Valeur nutritive par portion

| | | |
|---|---|---|
| Calories ..........................................70 | Glucides .....................................19 g | Fibres alimentaires .......................1 g |
| Protéines ......................................22 g | Gras saturés ..............................1,5 g | Sodium ..................................380 mg |

# CRÈME
## à l'emmental et au chou de Savoie

Pour 4 personnes. Le carvi est une épice dont le goût se rapproche de celui de l'aneth. Il se marie à merveille au goût de l'emmental.

| | | | | | | |
|---|---|---|---|---|---|---|
| ¼ de tasse | beurre | 60 g | 2 tasses | emmental, râpé | 200 g |
| 1 | oignon, haché | | ¼ c. à thé | carvi moulu | 1 ml |
| 1 | gousse d'ail, hachée | | 1 | feuille de laurier | |
| 3 tasses | chou de Savoie, coupé en lanières | 282 g | ½ tasse | vin blanc | 125 ml |
| | | | ¼ de tasse | crème (35 %) | 60 ml |
| ⅓ de tasse | farine | 50 g | | | |
| 4 tasses | bouillon de poulet | 1 l | | | |

## Préparation

• Dans une casserole, faire dorer l'oignon, l'ail et la moitié du chou dans le beurre. Retirer les légumes et réserver. Conserver le beurre.

• Ajouter la farine au beurre dans la casserole, jusqu'à l'obtention d'une pâte, pour former un roux. Incorporer graduellement le bouillon. Remuer constamment en laissant épaissir le bouillon.

• Ajouter le fromage râpé, la feuille de laurier et le carvi. Une fois le fromage fondu, ajouter le vin, les légumes réservés, la balance du chou et la crème. Porter à ébullition, réduire le feu et laisser mijoter à couvert 20 minutes.

• Retirer la feuille de laurier. Saler et poivrer au goût.

## Valeur nutritive par portion

| | | |
|---|---|---|
| Calories ....................280 | Glucides ....................18 g | Fibres alimentaires ....................2 g |
| Protéines ....................17 g | Gras saturés ....................19 g | Sodium ....................580 mg |

# CRÈME
## de légumes

Pour 4 à 6 personnes. Cette crème est un excellent passe-partout pour utiliser les légumes un peu moins séduisants de notre réfrigérateur.

| | | | | | | |
|---|---|---|---|---|---|---|
| 1 c. à soupe | huile d'olive | 15 ml | | 1 branche | céleri, coupé en dés | |
| 1 | oignon, haché | | | 1 | pomme de terre, coupée en dés | |
| 1 | gousse d'ail, hachée | | | 1 tasse | chou, haché | 94 g |
| 1 | poireau, haché | | | 6 tasses | eau | 1,5 l |
| 1 tasse | navet, coupé en dés | 137 g | | ½ tasse | pois verts surgelés | 77 g |
| 1 tasse | chou-fleur, coupé en bouquets | 105 g | | ½ tasse | crème champêtre (15 %) | 125 ml |
| 1 | carotte, coupée en dés | | | | | |

## Préparation

• Dans une casserole, faire revenir l'oignon, l'ail et le poireau dans l'huile d'olive.

• Ajouter le navet, le chou-fleur, la carotte, le céleri, la pomme de terre et le chou avant d'y verser l'eau. Porter à ébullition, réduire le feu et laisser mijoter à couvert 30 minutes.

• Ajouter les pois verts. Poursuivre la cuisson 10 minutes.

• Passer le mélange au robot culinaire. Remettre dans la casserole. Incorporer la crème. Réchauffer. Saler et poivrer au goût.

## Valeur nutritive par portion

| | | |
|---|---|---|
| Calories..........50 | Glucides.....13 g | Fibres alimentaires.....3 g |
| Protéines.....3 g | Gras saturés.....2,5 g | Sodium.....55 mg |

# SOUPE
## *aigre piquante au porc*

Pour 4 personnes.

| | | | | | | |
|---|---|---|---|---|---|---|
| ⅓ lb | filet de porc, coupé en lamelles | 150 g | 2 c. à soupe | fécule de maïs | 15 g |
| 4 | champignons séchés au choix | | 2 c. à soupe | eau | 30 ml |
| 4 tasses | bouillon de poulet | 1 l | 2 | oignons verts, hachés | |
| 2 | anis étoilés | | | **Marinade** | |
| 1 c. à thé | gingembre frais | 3 g | 1 c. à soupe | huile d'olive | 15 ml |
| 2 c. à soupe | tamari | 30 ml | 1 c. à thé | flocons d'oignon | 3 g |
| 2 c. à soupe | vinaigre de riz | 30 ml | ½ c. à thé | sel d'ail | 1 g |
| ½ bloc | tofu, coupé en dés | 225 g | 1 pincée | gingembre moulu | |
| ½ tasse | pousses de bambou en conserve, tranchées | 70 g | 1 pincée | poudre de cinq épices | |
| ¼ c. à thé | poivre blanc | 1 ml | 1 c. à thé | miel | 5 ml |
| | | | 2 c. à thé | tamari | 10 ml |

## Préparation

- Mélanger les ingrédients de la marinade dans un bol avec le filet de porc coupé en lamelles. Laisser mariner au moins 20 minutes. Déposer par la suite sur une plaque à biscuits. Faire cuire 15 minutes au four à 350 °F (180 °C). Réserver.

- Pendant ce temps, faire tremper les champignons 30 minutes dans 1 tasse (250 ml) d'eau froide. Égoutter et hacher les champignons. Garder l'eau de trempage.

- Faire chauffer le bouillon de poulet avec l'anis étoilé et le gingembre. Laisser mijoter à couvert 20 minutes avant de retirer l'anis et le gingembre. Ajouter au bouillon le tamari, le vinaigre de riz, les champignons et leur eau de trempage, le tofu, les pousses de bambou, le porc cuit et le poivre. Porter à ébullition et réduire le feu.

- Dans un verre, délayer la fécule de maïs dans l'eau. Incorporer graduellement à la soupe en remuant constamment. Laisser épaissir. Ajouter les échalotes. Décorer d'un anis étoilé. Servir aussitôt.

## Valeur nutritive par portion

| | | |
|---|---|---|
| Calories ......................60 | Glucides ......................10 g | Fibres alimentaires ......................1 g |
| Protéines ......................17 g | Gras saturés ......................1,5 g | Sodium ......................1240 mg |

Animatrice à la radio depuis plus de 10 ans, Marie-Claude Morin est curieuse, allumée, dynamique et… maman de trois jeunes enfants!

Végétarienne de longue date et passionnée de cuisine, **L'express végétarien** (2005) a été son premier projet de livre de recettes. Elle avait alors envie de rendre accessible à tous la cuisine végétarienne et la cuisine santé.

Puis, arrive un premier enfant. Pendant son congé de maternité, elle travaille aux recettes du livre **La bible des soupes** (2006), aujourd'hui vendu à plus de 40 000 exemplaires.

Puis, arrive un deuxième enfant et, dans son sillage, l'idée de proposer des recettes pour donner un coup de pouce aux familles. **Recettes pour bébés et enfants** viendra au monde à l'automne 2008, pas très longtemps après la naissance de son troisième enfant.

À l'automne 2010, les enfants commencent l'école et Marie-Claude conçoit **Boîte à lunch pour enfants**. Elle y propose des solutions rapides et santé « pour ces matins qui reviennent si souvent ».

« Parce que les enfants grandissent et que moi aussi j'ai besoin d'une nouvelle banque d'idées de recettes! » C'est ce que Marie-Claude nous a confié en nous présentant son livre **Maman, j'ai faim!** à l'automne 2011.

Dans la nouvelle édition de **La bible des soupes**, Marie-Claude nous offre plusieurs nouvelles recettes. Vous y trouverez également les valeurs nutritives pour chacune des recettes, ainsi qu'une mise en page au goût du jour.

Pour joindre l'auteure :
mariecmorin@hotmail.com

 facebook.com/marieclaudem1

 twitter.com/mclaudemorin

**Équivalences Québec/France**
**\* 1 c. à thé au Québec équivaut à 1 c. à café en France**

| Québec | France |
|---|---|
| Crème champêtre (15 %) | Crème fleurette |
| Crème 35 % | Crème fleurette entière |
| Gourgane | Fève des marais |
| Crème sûre | Crème aigre |
| Calmar | Encornet |
| Morue salée | Morue |
| Filet de porc | Filet mignon |
| Fécule de maïs | Maïzena |